加藤 元

もりのかいぶつ

実業之日本社

実業之日本社文庫

目次

序章　もりのかいぶつ

「おまえは、そとへでたら、いけないよ」

かまどは、いいました。


「もりのそと？」


「もりだけじゃないぞ」

らんぷが、ぴかぴかとひかりました。


「このおうちをでたら、いけないのだ」

いすが、がたがたゆれました。


「おまえはたいじされてしまう」

テーブルが、おもおもしくうなりました。

「ころされてしまうんだ」

すこしとおくから声がします。ベッドです。

「ころされる？」

はしらどけいが、かちかち、はをならしながらいいました。

「そうだ、ころされる」

「ぼくはなにもわるいことはしていないよ」

「でも、おまえは、かいぶつじゃないか」

かいぶつは、びっくりしました。

それまで、かいぶつは、じぶんがかいぶつだと、しらなかったのです。

＊　＊　＊

そのころ。

スグルくんは、たくさんの声に囲まれて生きていた。

ぬいぐるみとも、えほんとも、お話ができた。

とくに、えほんは、大好きな仲間だった。

本を開くと、おうちのなかや、公園や、スーパーマーケットや、電車とは、まったく違う世界が見える。ごはんを食べたり、横断歩道の白い線の上だけを伝って歩いたり、おしっこをしたり、ひるねをしたり。そんな日常とはまったく違う物語がはじまる。

＊　＊　＊

かいぶつであることが、いけないことだとも、しりませんでした。

かまどや、らんぷ。いすや、テーブルや、ベッド、はしらどけいと、なにがちがうのだろう？

　かいぶつは、みんなと、なにがちがうのだろう？

「ちがうんだよ」

　かまどが、ざんねんそうにいいました。

「かいぶつは、かまどとはちがうんだ」

「どこがちがうの？」

「かいぶつは、かまどじゃない」

「かいぶつは、らんぷじゃない」

「かいぶつは、いすじゃない」

「かいぶつは、テーブルじゃない」

「かいぶつは、ベッドじゃない」

「かいぶつは、はしらどけいじゃない」

　みんな、こえをそろえて、いいました。

「かいぶつは、かいぶつ。みんなとはちがう。だから、そとへでたら、だめなんだよ」

「わるいことはしていないよ」

「かいぶつは、みんなとはちがう。それはわるいことだ。だから、このおうちをでたら、たいじされてしまう」

かいぶつは、なみだぐみました。

＊　＊　＊

絵本には、絵がある。

これは、おうちだ。これはテーブル。椅子。うちにもあるから、わかる。ランプ、はないけど、近いものはあるよね。けいこうとう。かたちはちょっとちがうけど、お部屋を明るくしてくれる。

絵があるから、わかる。

でも、わからないところもある。

絵本には、字が書いてある。スグルくんには、その「文字」は、読めなかった。

ママの声が、文字を読んでくれた。

「物語」を、語ってくれた。

「かいぶつ、かいぶつ、おまえはかいぶつだ」
「でも、わたしは、おまえをまもってあげるからね」
「まもってあげる」
「そとへでようとしたらいけませんよ」
「おまえはかいぶつ」
「そとへでたら」
「ころされる」
「ころされる」
「おまえのみかたは、わたしだけ」
「わたしだけ」

ママがいなければ、おはなしはわからない。
スグルくんが好きなおはなしは、いろいろあった。
『あかずきんちゃん』も、好きだった。
「あかずきんちゃんは、パンとぶどう酒を籠に入れて、森の中のおばあさんの家に向かいました」

スグルくんが、好きなのは、クリームパン。黄色いカスタードクリームは、甘くてやさしい味がする。だけど、ぶどう酒は知らなかった。ぶどうならば知っている。ぷるぷるしていて、甘いくだもの。おいしいのかな。おいしそうだな。

だから、ママに訊《き》いた。

「ぶどう酒ってなに？」

ママは、つまらなそうに答えた。

「お酒」

「おさけ？　おさけってなに？」

「飲むと馬鹿になる飲みもの」

「馬鹿になる？」

「そう。飲んだら、飲んだひとはみんな馬鹿になって、騒ぐの」

スグルくんには、まるきりわけがわからなかった。

「楽しい？」

「飲んだヤツはね。飲まない人間には最悪。馬鹿につき合わなければならない」

ママは、苦々しく続ける。スグルくんには、いっそうわけがわからない。

「どうしてつき合うの？」

「大人の世界だから。大人って、馬鹿にならないと、仲良くなったふりができないの」

へんなの、とスグルくんは思う。

「おさけでつながった仲良しなんて、嘘《うそ》なのにね」

「うそなの」

「嘘だよ。ふりだけ。酔っぱらって、仲良いふりをして、本当に言いたいことは言わないで、我慢しなければならないの」

スグルくんには、おさけがまがまがしい飲みものとしか思えない。

「おさけは、わるいものだね」

「そう。悪いもの」

「悪いものを、おばあちゃんにあげるの？」

ママはちょっと考えてから、答えた。

「そう。おばあさんにあげちまうの」

「だめだよ」

スグルくんにも、おばあさんがいる。ママのママだ。

「おばあちゃんにわるいものをあげちゃだめ」

「いいんだよ」

ママはためらいもなく言った。

「おばあさんなんか、悪いものをたくさん食らって、とっとといなくなっちまえばいいの」


ママは、どうしてあんなことを言うんだろう?

おばあちゃんは、電車で十五分離れた場所に住んでいる。

おじいちゃんはスグルくんが生まれる前に死んでしまった。

おばあちゃんは、お習字の先生をしている。週に二回、お弟子さんが来ている。子どももいるし、大人もいる。

おばあちゃんは、おすもうのTV中継を観《み》るのが好きだ。

週に二、三回、おうちに来て、スグルくんにごはんを作ってくれる。ママにご用があって、おでかけをしている日だ。

ハンバーグ。

オムライス。

カレーライス。

からあげ。

おばあちゃんの作るごはんはおいしかった。

「すうちゃん」

って、おばあちゃんは、呼んだ。

「スグルくん」とは、呼ばない。そう呼ぶのは、ママだけなのだ。

「おいしい？」

って、おばあちゃんは訊く。

「おいしい」

スグルくんは答える。

「ママの作るごはんよりも？」

スグルくんは、困る。

ママは、ごはんをあんまり作らない。お店で買ってくる。ハンバーグも、からあげも、お店で買う。

だけど、ママが買ってくるごはんだって、おいしい。だから、スグルくんは答える。

「ママのごはんもおいしい」

おばあちゃんは、それを訊くと、残念そうに言う。

「すうちゃんには、なにもわかっていないいんだね」

スグルくんはかなしくなる。

わかっていない？　なぜなのだろう。嘘をついているわけでもない。本当に自分の気持ちを答えているのに、おばあちゃんにとっては、「わかっていない」返事になってしまう。

同じ言葉で話している。はずなのに、通じていない。

どう言えばいいんだろう？


おばあちゃんとだけじゃない。

ママとだって、話はうまく嚙《か》み合わない。

「スグルくん」

話しかけてくれる、ママの声。

スグルくんも、ママに伝える。

おなかがすいた。

つかれた。

きもちがわるい。

でも、ママには、その訴えが、あまり聞こえていないときがある。

スグルくんは、腹ぺこのままほうっておかれ、くたくたなのに歩かされ、しゃがみ込むとその場に置いていかれ、うずくまって胃のなかのものを吐く。

すると、ママは、とても機嫌が悪くなる。

急いでいるときに限ってぐずる。手を離せないときに手をかけさせる。スグルくんはいつだってそう。ママの邪魔ばかりしている。なにか恨みでもあるわけ？

尖った眼で、険しい声で、言われる。スグルくんは泣く。

スグルくんの言葉は、なぜか、ママには届かない。

ママも、おばあちゃんも、スグルくんとは、同じようで同じではない、違う言葉を使っているのかもしれなかった。

パパの記憶はあまりなかった。

スグルくんは、字を読めるようになっていた。

おばあちゃんに教わって、ひらがなを覚えたのだ。

字を読めるようになれば、きっと上手に言葉を使えるようになる。ママにもおばあちゃんにも、ちゃんと意思を伝えられるようになるだろう。

そう考えて、懸命になってひらがなを覚えた。

ママがいなくても、絵本は、お話をしてくれるようになった。

だけど。

＊　＊　＊

ある日。

ママが出ていった。

スグルくんは、ママがいないおうちのなかで、トラのぬいぐるみを抱きながら、絵本とお話をしていた。

パパが帰ってきて、大きな声を出した。

「ママは出ていった。おまえを棄《す》てていったんだ」

スグルくんは、ぽかんとするばかりだった。

ママは、いつも出ていく。そして、帰って来る。だって、ここはママのおうちだもの。ママとスグルくんのおうちだもの。帰ってこないはずはない。

「帰ってこない。ママは、なにもかも棄てていったんだ」

　どうして帰ってこないのだろう？

「おまえはトキコの家で暮らせ。話はもう決まった」

　トキコ？

　スグルくんには、なにもかも、さっぱり理解できないままだった。しかし、スグルくんもおうちを出て、よそへ行かなければならないことはわかった。

　えほんとぬいぐるみといっしょにいきたい。

　スグルくんの望みはひとつだけだった。

「駄目だ」

　パパは、即座にはねつけた。

「おまえのがらくたなんか、持っていく必要はない。あの女は、自分の領域に閉じこもって、なにも入れずにひとりぼっちで生きている。そういう人間なんだ」

　わからない。

「子どものおもちゃなんか、家に入れたがるわけはない。みんな棄てていけ。それがおまえのためだ」

ぜんぜんわからない。

どうして？

「言うことをきけ」

やはり、おとなの言葉は、スグルくんとは違うのだ。

離れたくない。

別れたくない。

スグルくんは涙を流すしかなかった。


「さようなら」

したくないけど、そうしなきゃいけないんだって。

「ごめんね、みんな」

みんな？

スグルくんは、気づいた。

声が、しない。

トラも、くまも、うさぎも、みな、なにも言わない。

絵本を開いた。

いつものような声は聞こえてこない。

文字だけだった。

平面の絵はうごかなかった。


世界が、固まった。


「どうしたの？」

スグルくんは叫んだ。

「返事をして」

しかし、返事は聞こえない。

世界は固まった。

閉ざされた。

それだけは、はっきりわかった。

どうして？

スグルくんのせい？

スグルくんが、みんなを棄てるから？

みんな、世界を閉ざしてしまった。

かけがえのない、世界が、閉ざされた。

＊　＊　＊

「準備はできたか」

遠い声。

意味はわかるけど、なにひとつ思いは伝わらないひとの、言葉。

「行くぞ」

第一章

かいぶつは、みんなとはちがう

もりにすんでいるのはね。
おまえがかいぶつだから、　だよ。

一

庇《ひさし》の上から、藤の花の房が下がっている。

ひとつ、ふたつ。十センチくらいの小さな房。今年は七つも咲いている。みな、青みの濃い色だけれど、ひとつだけ鮮やかに白い。


「優《すぐる》」

毎朝、出がけに登季子《ときこ》さんは訊く。

「忘れものはない？」

優の返事も、毎朝毎朝、同じだった。

「ない」

登季子さんは、訊き返す。

「本当に？」

優は答える。

「ない」

今日は五時間。国語、算数、体育、音楽、道徳。漢字ドリルも算数の宿題もやった。ノートはランドセルに入れた。体育着も持った。道徳の教科書は学校に置きっぱなし。大丈夫、間違いない。忘れものはない。

「本当の本当に？」

登季子さんは、念を押す。しつこいのだ。

「ないったらない」

言いきる。しかし、言いきれるのだろうか。

優は、だいたい忘れものをしているのである。ランドセルに入れた、はずの、ノートがなかったり、置きっぱなしにしていたはずの教科書が、机のなかになかったり、する。

なぜなのか。

優にはわからない。謎だ。

「確かめた？」

登季子さんは、さらに押す。

「たしかめた」

答えながら、自信がなくなってくる。

確かめた、よね？　確かめた、つもり。だけど、本当に、本当の本当に、ちゃんと、ぜんぶ、確認をしたかな？　たしかめる。その行為自体、いつもの決まりごととして、おざなりになっていたのではないか。

声から失われた自信を、登季子さんはきっちり感じ取る。

「もう一度、見直してみなさい。ものごとはね、いつだって、自分の眼を裏切るものだから」

わかりましたよ。わかっているよ。うるさいなあ。げんなり。

「うるさいと思っているね」

当たった。登季子さんは、ときどき優の心を読むのだ。まるで、絵本に出てくる魔女のように。

優はランドセルを降ろし、中を見る。教科書、ノート、確認する。

「忘れものはなかった」

「よかった。でも、自分の眼は裏切るからね」

登季子さんの執拗《しつよう》な念押しの文句は、間違っていない。だって、登季子さん自身、出がけによくばたばたしているのだもの。

夜には、なぜあれを忘れた、ちゃんとメモをしたのに、と、恨みがましくうめいているのだもの。

「裏切られたときの心の準備は、忘れずにね」

「はい」

優は素直に返す。登季子さんは大人だ。正しい。

「年長者からの、切実な忠告です」

はいはい。はいはい。

＊　＊　＊

はじめて登季子さんの家に来たのは、三か月前のまだ寒い朝だった。

「ここが、おうち」

タクシーから降りたった登季子さんが言った。車に乗る前に優が背負っていた、ぱんぱんに張ったリュックサックは、登季子さんが肩に提げてくれていた。

「ここ？」

寂れた商店街だった。おうち、と示された建物は、通りを入って三軒めにあった。

古びた一軒家の、シャッターが降りた一階。

新しい「おうち」は、お店だったのか。考えもしなかった。

「なに屋さん？」

戸惑ったまま、優は訊いた。シャッターの上にも脇にも、店名を記した看板はない。シャッターの上から突き出した庇には葉が垂れている。藤棚だと、のちに登季子さんから教えてもらった。二階と三階の外壁には緑青《ろくしょう》がふいている。銅が貼られている、看板建築と呼ばれる建物なのだとも、登季子さんから教えてもらった。抹茶みたいなみどりに包まれた年季が入った建物。

似ている。

優は思った。

かいぶつの絵本の、魔女のおうちに、どこかしら似ている。

こわい。

登季子さんは、魔女なのかもしれない。

「なに屋？」

重ねて訊くと、登季子さんはふふふと笑った。笑い方も魔女っぽかった。

「さて、何の店なんだろうね。まあ、いろいろと売っていますよ」

いろいろ？

なんだ？

優の困惑をよそに、登季子さんはシャッターをがらがらと上げる。ちょうど、優の背の高さまで、上げた。

「どうぞ」

視線で指図されて、優は、こわごわ中に入った。

屋内はまっくら。なにも見えない。

「なに屋さん？」

優はふたたび訊いた。

「以前は本屋だった。古書店、古本屋」

ぱ、っと明るくなった。登季子さんが電灯をつけたのだ。

「今では、売りものは置いていない」

二十畳ほどの一階はコンクリート敷きの土間で、木製の本棚がずらりと並んでいた。本がぎっしり詰まった焦げ茶色の棚。

森みたい。優は度肝を抜かれた。

「本屋さん？」

壁という壁に隙間なく本棚。一メートルおきに、向かい合って、また本棚。本屋さんとしか思えない。

「ここにあるのは私の蔵書。非売品だよ」

登季子さんは頷《うなず》いてみせた。

「現在でも本屋なのかな。ある種の」

「こんなにたくさんの本を見たのははじめて」

「図書館へ行ったこと、ないの?」

「としょかん?」

ふわり。

登季子さんの背後から、音もなくグレーのかたまりが現れた。

「ねこ」

かたまりは、登季子さんの足もとで、動きを止めた。

「そう、猫」

グレーの毛に、黒い縞《しま》模様。背中は黒くて、おなかに渦を巻いている。黄金色に光る眼が、優を凝視している。

耳もとで、声がした。

おまえは、なにものだ。

「すぐる」

答えた。

「今日からここに住むんだよ」

登季子さんが言葉を添える。まるで、同じ声を聞いたように。

「はじめまして」

優は手を差しのべた。猫は、素早く後ずさりをし、ふううう、と逆毛を立てる。

「怒った」

悲しくなった。スグルを嫌っているのだ。

「嫌ってはいない」

登季子さんは言った。

「警戒しているんだよ。ランさんは、子どもを見たことがないからね」

「ランさん」

「名前はランさん。六歳。優と同じ年かな」

「同じ年なの?」

つい、弾んだ声が出た。同じ年齢ならば仲良くなれるのではないか。

「猫の六歳は、もう、おとな」

登季子さんは突き放すように言う。

「私と同じくらいのおばさんですよ」

おばさんか。スグルと違って、大人。駄目だ。嬉《うれ》しさの芽は一瞬にして摘《つ》まれた。

「しかも、ランさんは、私以上に気難しい女です」

がっくり来た。

そうか。


本の森の左端に、階上へ続く階段があった。ランさんは、そこから出てきたのだ。登季子さんのあとに続いて、優は階段をのぼった。ランさんは、階段の下に立ったまま、優をじっと見ている。

観察されている。

「ここは二階。私の居住区域」

真っすぐのぼりきったところで、登季子さんが顎で示す。七畳ほどのフローリングのリビングルームだった。

「あのカウンターの向こうがキッチン。食事はこのリビングで摂《と》る。手前に見える白いドアがトイレ。並んでいるすりガラスの引き戸が洗面所とバスルーム。で、あの奥の木のドアが私の仕事部屋。原則として立ち入りは遠慮してほしい。まあ、散らかって足の踏み場もないから、立ち入れないだろうけどね」

階段はそこから右に曲がって、さらに階上へと続いていた。

「優の部屋はこの上。三階」

優は階段を見下ろした。ランさんはまだ一階からこちらを見上げている。

「今までは物置だったんだけどね。あんたが来るから、がらくたは棄てた」

三階は、十畳ほどのがらんとした空間で、床はやはり板張りだった。

「要らないものを溜め込んでいたんだから、いい機会だったんだよ」

部屋の中ほどには、壁に頭の部分をつけて、大きなベッドが置かれていた。

「物入れはそこ」

部屋を入ってすぐ左手に、古びた衣装簞笥《だんす》がひとつ。階段の向かい側は掃き出し窓だった。

「窓の外はバルコニー。洗濯物を干すから、出入りはさせてもらうよ」

登季子さんは窓辺に行って深い緑色のカーテンを開いた。明るい日差しが差し込んでくる。

「夏は暑いから、エアコンもつけた。好きなように使いなさい」

「好きなように？」

と言われても。優は戸惑うしかない。

「あんたのお父さんから、詳しい説明はなかったけれど」

登季子さんの口調がいくぶん尖《とが》る。

「荷物は、あとから届くんでしょう？」

「あと？」

優は返事に詰まった。あとから、って、どういう意味？

「まさか、このリュックサックだけってわけじゃないでしょう、あんたの持ちもの」

「だけ」

口からこぼれた、簡単な答え。

「だけ？」

登季子さんは眼をまるくした。

「だけ？　だって、せいぜい一週間あるかないかの着替えくらいしか入っていないでしょう？」

優は頷いた。

「夏も来るし、冬も来る。なのに、ここにある着替えだけ？」

パパがそうしろと言ったのだ。

「お荷物は優だけでいい」

優が言うと、登季子さんの表情が凍りついた。

「あんたのお父さんが、そう言ったの？」

優はまた頷いた。

「どうかしているね」

登季子さんは大きく首を横に振った。

「どうかしている。でもまあ、優は育ちざかりだからね。服は日々変わる。買い足していけばいい。そのぶんのお金は預かっている。心配しないでいいよ」

登季子さんは、ベッドの上にリュックサックを置いた。

「中身、出してみていい？」

優は頷く。登季子さんはリュックサックを開けて、中のものをベッドの上にぽんぽんと投げていく。

パーカー、トレーナー、ズボン、Tシャツ、靴下、肌着。

「本当に服だけだね。ぬいぐるみとかおもちゃとか絵本とか、持たせてやればよかったのに」

登季子さんが押し殺した声で呟《つぶや》く。

「持ってきたい大切なもの、あんたにだってあっただろうにね」

友だちは、みな、残してきた。

ひとりきりで、ここにいる。

にゃあああ。

鋭い猫の声。いつの間にか、ランさんが部屋に入って来ていた。

「優？」

登季子さんの声が変わった。

「どうしたの？」

優は、泣いていたようだ。

＊　＊　＊

ある日。

ママがいなくなった。

パパは、登季子さんの家へ行け、と命じた。

登季子さんって、誰？

おまえの伯母さんだ。ひとりで生きている。おまえを置いておけるくらいの家がある。だから、そこへ行け。言っておくが、あの女は、子どもが嫌いで、家族が嫌いで、人間が嫌いだ。きっと、おまえのことも気に入らないだろう。

パパによれば、登季子さんは、そういうひとだった。


優は、ひとりきりで、ここへ来た。

＊　＊　＊

「鼻をかみなさい」

登季子さんはポケットから携帯用のティッシュを出して、優に手渡した。

「確かに、私は家族と合わなかった人間だ。あんたのお父さんとは、とくに気が合わない。やさしくもないし心も狭い。だけど、あんたのことを嫌ってはいないよ。

嫌うほどあんたのことを知らない」

　ずびーん。優は大きな音を立てて鼻をかんだ。

「でも、あんたのママとはけっこう仲良くできた。あんたが生まれてからも、ときどき連絡はあったんだよ。あんたがもっと小さいころ、何度か会ったこともある。あんたは覚えていないみたいだけどね」

　そのとおりだ。優はぜんぜん覚えていなかった。

「だから、あんたを引き取るのは、そりゃ、迷いはあったけれど、厭《いや》というほどではなかった」

　ランさんは、登季子さんの足もとから、ぴかぴか光る眼で優を見ていた。

「とにかく、うまくやれるよう、お互いに努力はしよう」

　ぢーん。優の鼻水は少し減った。

「おもちゃはなにもないけど、絵本なら一階にたくさんある。好きなものを読みなさい」

「えほん」

　鼻水が止まった。

　大切なもの。残してきた友だち。大好きな絵本。

ママが留守でも、寂しくはならなかった。

絵本が話してくれたから。

「でも、お菓子を食べながら読んだりはしないこと。読むときはあんたと絵本、一対一で頼むよ」

登季子さんはちょっと眉を吊《つ》り上げた。

「おせんべいの屑《くず》が頁《ページ》に挟まっていたり、チョコレートで汚れた指のあとが残っていたりしたら、絵本禁止令を出すよ」

また少し垂れてきた鼻水をすすり上げながら、優は頷いた。

「テレビはリビングにある。好きな番組を観なさい。私はニュースくらいしかつけないから」

「おすもう」

優は即座に言っていた。

「観ていい？」

「あんた、おすもうが好きなの？　渋いね」

登季子さんはうなった。

「すもうなら、わたしもひさしぶりに観たいな。次は春場所か。観よう」

登季子さんは、思っていたほど、怖いひとではなかった。

しかし、ランさんは、なかなか優と親しくはしてくれなかった。

優がお風呂に入ると、必ずと言っていいほど、ランさんが監視に来る。バスルームの扉のすりガラス越しに、白黒の縞が見えている。

一階の書庫で、読みたい絵本を探す。うさぎ組のえんそく。これがいい。手に取って、ページを開く。

うさぎのおかあさんが、うさぎのこどもに、おべんとうをつくっています。

絵本の文字は読めた。でも、おうちにいたときとは違う。優は落胆する。絵本は話しかけてきてはくれない。文字は文字のまま、頁の上に貼りついている。

うさぎは可愛《かわい》い。にんじんとたんぽぽのサンドイッチを詰めたおべんとうは、おいしそう。でも、絵本はただの絵本だ。友だちではない。

寂しい。

それでも、やはり、絵本を読むのは喜びだった。頁をめくる優を、ランさんが背後からじっと見ている。

「ランさん」

声をかけると、階段へと走り去る。

触ろうとすると逃げる。シャーとうなって、牙を剝《む》く。

優は嫌われている。

「嫌われてはいない」

登季子さんは言った。

「警戒心が解けるまで、時間がかかる。仲良くなりたければ、厭がることをしないようにね」

優は、どうしたらいいのかわからない。

ただ、絵本を読み、おすもうを観て、登季子さんとごはんを食べ、毎日を過ごしていく。

二

二か月が過ぎ、四月になって、登季子さんの家から小学校へ通うことになった。

小学校は、商店街を抜けて、大通りの十字路を渡って、ふたつ目の信号を曲がったところにあった。黒ずんだコンクリート造りの四階建て。校庭を囲むようにコの字型に建てられている。

一年生は三十人の二クラス。優は二組になった。

優にはじめて話しかけてきたのは、吉川結良《よしかわゆら》さんだった。

「藤村《ふじむら》さんって、変わった名前だね。男の子みたい」

さらさらの髪の毛を肩まで垂らした、ぱっちりした眼の吉川さん。

「優、って普通、男の子の名前でしょう」

「そうだよ」優は言った。「ママが好きな男の子の名前」

ママは言っていた。

スグルくんにはね、いちばん好きだった彼の名前をつけたの。

「やっぱり、男の子の名前なんだ?」

吉川さんは笑った。

「ママが好きな男の子って、パパ?　パパと同じ名前なの?」

「違う」

「え」

吉川さんは大きな眼をさらに見開いた。

「藤村さんのママって、パパ以外に好きな男の子がいるの?」

「そうだよ」

それが、そんなに驚くことだろうか。

彼と、結婚したかったけど、できなかったの。

そう言っていたママは、いつだって、つまらなそうにしていた。

「藤村さんのパパ、可哀想《かわいそう》」

吉川さんは眼を潤ませた。

「うちはパパとママ、仲良しだよ。お互いに大好きだって言っているよ。夫婦だもの。それが普通でしょ?」

「そうなの？」

「当たり前よ。だから結婚するんでしょ」

でも、ママは、そうじゃないみたいだった。

パパが、ぜったいに苦労はさせないって言ったから、結婚したのに、嘘だったよ。朝起きると、泣きたくなる。どうして私はこんなところにいるんだろう。

「大好き同士だから、結婚して、しあわせになるんでしょう」

「そうなのか」

パパとママは、仲良しじゃなかった。パパはめったにおうちにいなかった。覚えているのは、荒く言い合う声。パパとママは喧嘩をしていた。

思い出すのは、厭だ。

パパとママは、大好き同士じゃなかった。だから、ママは、しあわせじゃなかったのかな。

「藤村さん、あんまり普通じゃないね」

吉川さんは、口もとをほころばせた。

「変わっている。おもしろい。友だちになろう。ね？」

優の心臓が、ばくん、と高鳴った。

友だち？

友だちになろう、って言ってくれた、この子？

ママが出ていく前、駅前のビルの三階にある、小さな保育所に行っていた。赤ちゃんから六歳まで、子どもの年齢はばらばらで、二十人くらい。いつも同じ顔触れではなかったし、優も毎日そこに通っていたわけではなかった。保育士さんは二人。幼い子の世話にかかりきりで、話もほとんどできなかった。優は本棚の前で絵本ばかり読んでいた。棚にある絵本はすぐにぜんぶ読んでしまって、みな、優のいい話相手になってくれた。友だちは絵本だけだった。

「私、好きだよ、おもしろい子」

吉川さんは、輝くような笑顔で言った。

「優くんって呼んでいい？」

すぐるくん。

うん、呼ばれていたよ、ずっとそう。

「私のことは、結良って呼んでね」

小学校は、どうだった？

登季子さんに訊かれて、優は答えた。

「子どもが多くて、うるさい。ちょっと気持ち悪くなった」

「気持ちが悪かったら、すぐに先生に言いなさい。吐いてからでは遅い」

「ちょっとだけ。げろを吐くほどじゃなかった」

「まだ大丈夫。と油断すると一気に限界を突破するよ。早めに先生に言うようにしなさい。年長者からの忠告です」

「はい」

そうなんだ。登季子さんの言うことは正しいんだ。はいはい。

「友だちはできそう？」

優は返事をしなかった。結良ちゃんのこと、言いたいことが多すぎて、すぐには言葉にならなかったのだ。

「できたんだね」

登季子さんは、見抜いた。

「ご満悦、としか表現しようのない笑顔だ。よかったね」

夜ごはんのとき、優は、結良ちゃんのことを、登季子さんに詳しく話した。

「その吉川結良ちゃんは、いい子みたいね」

テーブルには、まぐろの刺身と、いかと大根の煮つけ、菜の花のおひたしが並んでいた。

「いい子だよ。あんないい子に会ったの、生まれてはじめてだ」

登季子さんはあさりの味噌汁《みそしる》を噴いた。

「おかしなこと、言った？」

優はむっとした。

「言っていない。生まれてはじめて。おかしくない」

「笑っている」

「笑ったのは、この先の人生、もっとたくさんいい子に会うだろう。そう思ったからさ」

「そう？」

疑わしい。

しかし、登季子さんに疑いの眼を向けながら、優は気づく。

登季子さんとは、話が通じないということは、ほとんどないんだな。だから、こんな風に笑われると、ちょっと頭の来るんだ。

「いや本当。あんたの最初の出会いなんだ。笑ってごめん。大事なひとだよ。大事にしなよ」

「する」

当たり前ではないか。

好き、なんて、言われたの、生まれてはじめてなんだ。

結良ちゃんは、優の、特別なひとだ。


「幼稚園のころとか、お友だちはいなかったの？」

「いなかった。結良ちゃんがはじめて」

少し恥ずかしい。だけど、優は思いきって、口に出した。

「ぬいぐるみと絵本だけが、お友だちだった」

「ぬいぐるみ？」

「ぬいぐるみも絵本も、ちゃんとおしゃべりができるんだよ」

ママに言っても、伝わらなかった。笑われるだけだった。けど、結良ちゃんは笑わなかった。

「するよねえ」

伝わった。優は嬉しくなる。

「わかるの？」

「わかるよ。私、今だってぬいぐるみとおしゃべりをしているの」

結良ちゃんは、言った。

「本当？」

いた。

スグルと同じひとが、ここにいた。

「わたしも、おしゃべりができたんだ」

でも、今では、話せない。

みんな、置いてきてしまった。

違う。

その前に、みんな、話さなくなったんだ。

みんなを棄てる、と、優が言った瞬間から。

「喋《しゃべ》るよねえ」

結良ちゃんは、弾《はじ》けるような笑顔になった。

「今日、起きたこととか、いっぱい喋るよ。優くんのことも話す。普通だよ」

「普通」

そうだ。普通のことなんだ。

「わたしも、いつもいつも、おしゃべりをしていた」

「優くん、今はもう、ぬいぐるみと喋らないの？」

喋らない。喋れない。

優の部屋に、ぬいぐるみはひとつもない。

とらと、うまと、パンダと、犬。仲良しだったみんな。登季子さんの家に来るとき、みんな棄ててきてしまった。

「お荷物は優だけでいい」

パパがそう言ったから。

どうかしている、と登季子さんは言った。

ぬいぐるみとかおもちゃとか絵本とか、持たせてやればよかったのに。持ってきたい大切なもの、あんたにだってあっただろうにね。

でも、パパは、許してくれなかった。

なぜ？

優にはわからない。

ただ、ぼんやりとは、思う。

パパは、ママのいちばん好きな男の子じゃ、ない。だからなんだ。


入学して二週間もしないうちに、敵もできた。

同じクラスの、背も高いし横幅もふとい、鈴木晋太郎《すずきしんたろう》だ。

休み時間、結良ちゃんと優は連れ立ってトイレに行った。出てきたところで、結良ちゃんが鈴木とぶつかった。

「痛い」

結良ちゃんは肩を押さえて、しかめ面をした。

「邪魔だよ」

鈴木は、見下すように言い放った。

「あんたの方が邪魔」

結良ちゃんが、睨《にら》み返す。

「何だよ、おまえ」

鈴木は、結良ちゃんの肩をさらに押した。結良ちゃんはよろめいた。

「この野郎」

優の眼の前が赤く染まった。

鈴木はでかい。結良ちゃんよりも、優よりも身長が高く、ふとい。だけど、優はためらわなかった。

優は身をかがめ、低い位置から鈴木の顎を突きあげた。均衡を崩した鈴木はそのまま後ろへふらついた。

どすん。

背中が壁に当たった音がした。

「なにをするんだ、おまえ」

廊下の向こうから、やめなさいと声をあげながら、担任の先生がぱたぱた走って来た。

優が乱暴をした、というので、登季子さんは先生に呼び出され、注意をされた。

最初に押してきたのは、鈴木だ。優は先生にちゃんと説明をした。事実なのに、先生は渋い顔をするばかりだった。

だからといって、暴力に対して暴力はいけません。

優は口を尖らせた。

でも、やられっぱなしで、我慢するのはおかしいです。

先生は首を横に振った。暴力はいけません。話し合うようにしましょう。同じクラスのお友だちなんですよ。

鈴木は友だちじゃありません。友だちは結良ちゃんだけです。友だちに暴力をふるったからやり返したんです。

言いかけて、登季子さんに遮られた。

先生、わかりました。優にはあとでよく言い聞かせておきます。申しわけありませんでした。

登季子さんは、よく、の部分をよーく、と強調していた。優は覚悟した。家に帰ったらひどく叱られるだろう。

「あんたは、おすもうを観るばかりじゃなく、取るのが好きなの？」

登季子さんは、怒っていなかった。

「鈴木って子、かなり体格がよかったものね。あんなのに勝負を仕掛けるとは、あんたは根性がある」

むしろ、楽しそうに見える。

「おすもうを取ったことがあるんだね？」

「おばあちゃんと、ちょっと」

すもうが好きだったのは、ママのママであるおばあちゃんだった。おばあちゃんの家に遊びに行くと、テレビで一緒におすもうを観た。ひいきの力士が勝って、優が歓声を上げると、この技はこうやって、こうなって、と手取り足取り教えてくれた。

でも、もう、おばあちゃんには会えない。パパが言っていた。あっちの家とは縁を切った。ママがおまえを棄てていったから。

「あんた、強いよ。うらやましい。私も強くなりたかったな。鈴木くんの一件と同じことだよ。男の子が理不尽な真似《まね》をして来ても、つかみ合いになると勝てないからね。あんたのお父さんともよく殴る蹴るの喧嘩《けんか》をした。小さいときは私の方が強かったんだけど、中学に行くころには敵《かな》わなくなっていた」

「つかみ合い」優は眼を見張った。「殴る蹴るの喧嘩をしたの？」

パパと？

「しょっちゅう」

　登季子さんはこともなげに頷いた。

「力でねじ伏せられて、黙らされる。あれほど悔しいものはない。私も力が欲しかった」

「わかる」

　すごくわかる。

「力が強い方が正しいわけでも偉いわけでもない」

「そう思う」

　すごく思う。

「子供向けのすもう教室に行ってみる？」

　優は飛び上がりそうになった。

「行きたい」

「よし。行きなさい」

「先生に怒られるかな」

　優は、ほんの少し、迷った。

「暴力はいけない。話し合わなきゃいけないんだよね」

登季子さんは眼をほそめた。

「暴力はいけない。先生はああ言うしかない。それが正解だろうし、どちらの肩も持てない仕事だからね。でも、優は強くなりたいんでしょう?」

なりたい。優は大きく頷いた。

「だったら、強くなっちゃえ」

「なる」

「理不尽に負けないで、あんたの正義で行っちゃえ」

「行く」

「きっと、今しかできないことだ」

やっちゃえ、と、登季子さんはけしかけた。

三

すもう教室は、意外なほど、家から近かった。

登季子さんと優が住む商店街を反対側に抜けると、角に大きなドラッグストアがある。その隣りにある『ちゃんこ料理・大山《おおやま》』というお店の一角が、教室なのだった。

「店のご主人は、かつて相撲部屋にいたひとでね」

登季子さんは説明してくれた。

「廃業したあと、ちゃんこ料理屋をはじめた。で、教室を持った。お店の中には土俵まであるからね」

毎週土曜日、二時から四時までの稽古。

最初に挨拶をしたとき、大山先生は驚いていた。

「藤村、優?」

もと力士、と聞いて想像していたほど、大きなひとではなかった。肩や腕はがっしり。いくぶんふとめではあるが、筋肉質。力士のころは小兵だったろうな、と思った。

よかった。小兵な力士は優の好みだ。

「藤村さん、女の子とは言わなかった。なるほどね」

ひとりごちながら、やがてにやっと笑った。

「そうか。うん。おもしろい」

店の一階は広い土間で、マットが敷かれている。テーブルと椅子は隅に片づけられていて、土俵があった。テレビで観るのとは違って高さはなかったが、想像していたより大きかった。大山先生は満足そうに教えてくれた。

「大きい？　うん。直径四・五五メートル。これが土俵の広さなんだ」

やがて教室に集まってきたのは、男の子ばかりだった。

「田中《たなか》、四年生。吉田《よしだ》は、五年生か。松本《まつもと》は三年生。中野《なかの》に佐藤《さとう》、は二年生になったな」

大山先生は次々に紹介をする。みんな、躰《からだ》はぽっちゃりめ。松本という三年生だけが細かった。うさんくさそうな眼。もしくはおもしろそうな眼つきになって、遠巻きに優を眺めている。

「あとひとり。藤村と同じ一年生がいるんだが、遅いな」

大山先生が言うと、ばたばたと音を立てて、最後のひとりがやって来た。

「遅刻だぞ」

「ごめんなさ」

語尾をむにゃむにゃさせたそいつを見て、優は思わずうめいていた。

鈴木晋太郎だ。

「おま」

鈴木も同じ思いだったようだ。

「どうしてここにいるんだ」

詰め寄ってくるのに、優は短く応じた。

「入った」

鈴木は唇を尖らせて返した。

「入るな」

「おまえに言われたくない」

「俺なんかな、三月からこの教室に通っているんだからな」

優は冷たく訊く。

「それで？」

鈴木はぐっと詰まってから、苦しげに言葉を絞り出した。

「女はな、すもうをしてはいけないんだ」

「藤村と鈴木は友だちだったのか」

大山先生がにこにことあいだに入って来た。

「友だちじゃありません」

優と鈴木は同時に答えた。

「そのようだな」

大山先生は動じず、にこやかに頷いた。

「適度な敵対心は悪くないぞ。しかし鈴木、女はすもうをしてはいけない、というのは違う。今までこの教室にはいなかったけれど、すもうにはちゃんと女子の部があるんだ」

「でも先生」

最年長の吉田が声を上げた。

「土俵には、女は上がっちゃいけないんですよね」

「神事や大相撲ではな。大山すもう教室では違う」

今日からな、と、大山先生は満足げにつけ加えた。

「女はすもうをとってもいいかもしれないけど、こいつは厭です」

鈴木は悔しそうに言う。

「厭か。いいぞ。厭な取組相手は自分を強くするものだ」

大山先生はますます嬉しそうだった。

「藤村はここにいる誰よりも小さい。力も強くはないだろう。鈴木は大きい。齢上《としうえ》の中野や佐藤よりでかいし重い。馬力だけなら田中や松本も圧倒するときがあるものな。実にいい。すもうを学ぶには最高にいい仲間が加わったぞ」

鈴木は泣きそうな顔になった。

「学ばなくても俺の方が強いです」

なにを言っているのだ。このあいだ負けたばかりだろ。

優が言いかけたところに、大山先生が言葉をかぶせた。

「恵まれた体格のおまえが強いのは当たりまえだ。そこをひっくり返す。それがすもうの醍醐味《だいごみ》、おもしろさなんだ」

大山先生は心底楽しそうに見えた。

「いい仲間が増えてよかった。みんな、これからいろいろ勉強していこう」

すごい。鈴木の思いがまるで通じていない。

自分が鈴木の立場だったらつらいだろうな。優はおかしかった。いい気味だ。

すもうの基本は、四股《しこ》を踏むこと。

おばあちゃんも言っていたし、動作自体は知っていた。

両足を肩幅に開き、腰を落とす。右足に体重をかけて、左足を高く上げる。左足をつま先から踏み下ろし、体重を腰に低く落とす。左足に体重をかけ、右足を高く上げる。右足をつま先から踏み下ろす。腰を低く落とす。

教室でも、まず四股を踏むことが準備運動だった。

「頭から腰は垂直。真《ま》っ直《す》ぐだからな」

「中野、腰が曲がっている」

「顎を引け、鈴木」

大山先生から教えてもらって、実際にやってみると、ずいぶん感覚が違う。左右一回が、ひどくきつい。

「足を高く上げるより、地面を踏みしめることを意識しろ」

呼吸が荒くなるほど、きつい。

「一回一回、正しく四股を踏むことで、足腰が強くなる」

形はいいと、優は大山先生から褒められた。

「形だけにならないよう、正しく踏むようにしなさい。百回踏んでも、形だけじゃなにもならない。単純だし、つまらない。面倒くさい。そう思うかもしれないが、間違いなく結果を生み出せるといえるのは、けっきょくのところ、四股だ」

正直なところ、大山先生の言葉どおり、四股はめんどくさいばかりで楽しくなかった。けど、やるしかない。

優は強くなりたいのだ。


すもう教室に通っている。

報告すると、結良ちゃんは眼をまるくした。

「何で?」

何でって、すもうが好きだし、強くなりたい。鈴木みたいなやつから、自分を守りたい。結良ちゃんを助けたい。と思ったら、まさかの鈴木が同じ教室にいたけれど。

「やめなよ」

結良ちゃんは、言った。

今度は優が訊く番だった。何で？

「だって、鈴木もいるんでしょう？」

いる。あいつも強くなろうと四股を踏んでいる。だからこそ、スグルも四股を踏まねばならない。

このあいだも、すもう教室の帰りぎわ、鈴木に棄て台詞《ぜりふ》を吐かれたばかりだ。

俺は強くなるからな。おまえなんか敵じゃない。

こっちが言いたい。負けたくはない。

「まわしとか、しているの」

結良ちゃんは、眉根を深く寄せながら問いかける。

「しなきゃ、おすもうは取れないもの」

トレーニングパンツの上からまわしをしめて四つに組む。はじめは変な感じだったけれど、慣れた。

「格好悪くない？」

「外国ではみんなそうやっておすもうを取っているよ。裸なのは日本だけみたい」

「はだか」

結良ちゃんは悲鳴を上げた。

「裸はやめてね、優くん」

やめるもなにも。ただ、スグルは。

「強くなりたいし、大きくならなきゃ」

結良ちゃんはいっそう眼を見開いた。

「大きくなりたい？」

「大きい方が有利だもの。ふとりたい」

「ふとりたいって、本気？」

信じられない、という風に、結良ちゃんは首を横に振った。

「ふとっちゃ駄目だよ。今のままがいい。優くん、今でちょうどいいよ」

「よくない」

このままでは、鈴木を倒せない。

すもう教室では、稽古の後半、総当たりで取組をする。優はまだ誰にも勝てない。

教室では、立ち合いからのぶちかましも張り手も禁じ手だ。差し手を入れる。四つに組む。そこからのすもうになる。躰が小さい優には不利ではない条件のはずだった。なのに、五年生の吉田にあっさり押し出され、四年生の田中に突き出され、三年生の松本に転がされるのはもちろんのこと。躰があまり大きくない、二年生の中野に寄り切られ、佐藤にも倒される。

悔しい。

なにより、鈴木に勝てない。ひと突き、ふた突きで土俵を割る。一気に寄り切られる。それがいちばん、悔しい。

とにかく四股だ。腐らないで、基本をしっかりしなさい。

大山先生の言葉を信じて、毎日毎日、家の一階、本棚の森のあいだで四股を十回踏んでいる。十五回踏むこともある。けれど、まったく強くはなれない。いつの間にやら階段の途中の段にいる、ランさんから怪訝《けげん》そうな眼で観察されるばかりだ。

小兵の力士でも大きな力士に勝てる。それがすもうの醍醐味だ。

大山先生はそう言うけれど、やはり大きい方が有利なのだ。

「鈴木は右四つなんだけど、わたしは左右どっちでも取れるんだよね」

優はぼやいた。

「なまくら四つっていうの。力士としてはあんまりよくない型《タイプ》みたい」

「うん、よくないよ」

結良ちゃんは身震いをしてみせた。

「私、背は高くなりたいけど、ふとるのはぜったい厭だ」

結良ちゃんの「よくない」は、優の悩みとは関係ないようだった。

「チョコレートは食べないことにしたよ。おいしいけど、食べ過ぎてふとっちゃうんだもの。寝る前にココアを飲むの、大好きだったんだけど、やめた」

「ココアって、ふとるの？」

結良ちゃんは悲しげに頷いた。

「お砂糖をいっぱい入れて飲むとね」

いいことを聞いた。

寝る前にはココアを飲むことにしよう。


「ココア？」

登季子さんは嬉しそうだった。

「一時期、はまって、毎晩飲んでいたんだよ。ココアの粉をバターでこねて、牛乳で溶いて。喫茶店もびっくりのおいしさだった。ふとるからやめたけどね」

それだ。

「飲みたい」

「あんたがそう言うなら、作ってあげるよ」

「ありがとう」

が、二週間目で、登季子さんが音を上げた。

「ココアはもうやめよう。あんたに作ると、つい私も飲んでしまう。この二週間で三キロもふとった。階段を上ると息切れがする。腰が痛い。さっき掃除機をかけていたらぎっくり腰になりかけた」

しかし、優は一キロもふとっていなかった。三百グラムくらいは増えるが、次の日には四百グラム減っている。

「うらやましい」

登季子さんは恨めしげに口角を下げた。

「小学生の代謝がうらやましい。中高年は溜《た》め込む一方だ」

こっちが言いたい。優はむしろ溜め込みたいのだ。

「中高年がうらやましい」

優が呟くと、登季子さんの眼尻が吊り上がった。

「二度と言うな。あんたに殺意を抱きそうだ」


夏休みが近づいた、七月に入って二回めの土曜日。

その日のすもう教室で、ことは起きた。

優は、鈴木が差した左下手を、おっつけて外した。そして、体勢が崩れた鈴木を、すかさず突いた。

鈴木の上体が泳ぐ。無我夢中で突いた。

「よし」

大山先生の声が聞こえたときには、鈴木は倒れていた。

「藤村の勝ちだ」

優は勝った。

「今のおっつけは良かった」

大山先生の声は弾んでいた。

「腕の力だけでは、鈴木の差し手は外せても、体勢は崩せない。今のが効いたのは、藤村のおっつけに腰から力が入っていたからだ」

嬉しい。

鈴木は口をへの字に曲げながら肘を撫《な》でていた。

「たまたまだろ」

「違う」

優が言い返すより先に、大山先生が応えていた。

「たまたまじゃない。藤村はきっちり四股を踏んでいる。その結果だ」

大山先生は続けた。

「基本に忠実であれば、必ず強くなれるということだ」

その日、優は、中野に引き落としで勝ち、佐藤に蹴たぐりで勝った。

「何だよ」

中野は言った。

「何でだよ」

佐藤も言った。

「おまえ、なにをしたんだよ」

「ココアを飲んだ」

優はにやにやと言い返した。嬉しすぎた。

四

七月の曇天の火曜日。放課後。

その声を、優は聞いてしまった。

「優くん？　変だよね」

下駄箱《げたばこ》の前に、同じクラスの、岩崎《いわさき》さんと岡本《おかもと》さんがいる。結良ちゃんもいる。

今の声は、結良ちゃん？　そんなはずはない。だって、変だって、そう言った。

優のことを、変だ、と。

廊下で、優は固まっていた。耳もとでどくどくと血が脈打つ。

「変だよ、あの子。笑える」

結良ちゃんの声だ。間違いない。笑える、と言った。

「名前も変だし、言うこともおかしいよ、あの子」

冷たい、小馬鹿にした調子。

「でも、結良ちゃん、藤村さんと仲がいいじゃない」

岩崎さんも笑っている。挨拶くらいしかしない、好きでも嫌いでもない子。それでよかった。優には結良ちゃんがいた。

「すもうが好きなんでしょ。鈴木と一緒」

岡本さんの声。挨拶くらいしかしない、好きでも嫌いでもない子。いいんだ、それで。優には結良ちゃんがいたのだから。

「適当に話を合わせているだけだよ。笑っちゃう」

結良ちゃんの声が、言った。

「おかしいんだ、あの子。ぬいぐるみが喋るとか、真顔で言うの。笑えるよね」

結良ちゃんは、スグルを笑っていた。

ぬいぐるみと喋る。結良ちゃんだって言っていたのに。違うの？

笑っていたんだ。

そうか。

友だち。

友だちになろうって言ってくれたのは、結良ちゃんだったのに。

違ったんだ。

優は、廊下を歩いて、教室に戻った。

結良ちゃんと顔を合わせたくない。会いたくない。

笑っていたんだ。よくわかった。

優は唇を噛んだ。

スグルは強くなった。鈴木に勝った。中野に勝った。佐藤に勝った。だけど、結良ちゃんを助けることは、しなくていいみたい。

強くなりたい。もっと。


家に帰って、一階の本棚のあいだで、優は立ち止まった。

二階に上がって、登季子さんに、いつもみたいにただいまが言えるだろうか。

言える。ただいま、は言える。でも、いつもと同じようにはできない。いつもなら、優は登季子さんに学校で起きたことを話す。おもしろかったこと、腹が立ったこと、そして、結良ちゃんのことを、話す。

結良ちゃんの話を、今は、したくない。

結良ちゃんの名前を口に出すことさえ、したくない。

なぜだろう。登季子さんは聞いてくれる。話してしまえば、なにか言ってくれる。

優のもやもやは少し楽になるかもしれない。口うるさいけど、登季子さんはたいがい正しい。話してしまえばいい。

だけど、話したくない。口に出したら、優はきっと負けてしまう。

負ける？

足もとに、ふわりと、暖かいものが触れた。

ランさんだった。

はじめて、ランさんが、優に身を寄せてくれている。

優はなにもしなかった。じっとしていた。

ランさんは優を見上げて、口を開いた。

声を出さずに、にゃあ、と啼《な》いた。


何分間、そうしていただろう。

優はしゃがみ込んだ。ランさんは、いつもみたいに逃げなかった。顔を上げて、優の鼻に口もとをこすりつけた。

香ばしい匂いがした。

「ものごとはね、いつだって、自分の眼を裏切るものだから」

そうだ。登季子さんがいつも言っていたじゃないか。

「裏切られたときの心の準備は、忘れずにね」

それは、年長者からの、切実な忠告だったのだ。

我慢できなかった。

優は、声を上げて、泣いた。

第二章

かいぶつのみかたは、わたしだけ

かいぶつは、みんなと、なにがちがうのだろう?

「ちがうんだよ」

かまどが、ざんねんそうにいいました。

「かいぶつは、かまどとはちがうんだ」

一

その春、優は小学六年生になった。

学校は、好きではなかった。義務教育なのだと、登季子さんから言われていた。義務だから、行かなければならぬのだ。毎日、行かなければならない。やむを得ない。だからしぶしぶ通っていた。

友だちがいないわけじゃない。優は、大崎美菜《おおさきみな》ちゃんとは、毎日よく話をしていた。

美菜ちゃんは、マンガが好きな子だった。好きな少女マンガを薦めて来て、ときどき貸してくれた。

「おもしろかったでしょう？」

次の日には、きらきらした眼で訊《たず》ねてくる。優は頷く。

「すごかった」

ヒロインのミアは十四歳。中学二年生。アイドルスターのシンジに憧れている。ある日突然、シンジが家に同居することになる。シンジの亡くなったパパとミアのママはかつて恋人同士だったのだ。

無茶苦茶だ。すごい。と、優は戸惑うしかない。

「すごかったでしょう?」

美菜ちゃんは嬉しそうに身を乗り出す。そう。話はしていても、美菜ちゃんと優は、だいぶ、ずれている。

「二巻はもっとすごいんだよ」

「ええ、もっと?」

憧れていたシンジは口が悪い皮肉屋で、ミアとは喧嘩ばかり。しかし、二人は惹《ひ》かれ合うようになる。同級生でサッカー部のキャプテンのサトシもミアに想《おも》いを寄せている。シンジに恋をするモデルのサヤはミアを敵視する。

「ミアはシンジとくっついてほしいよね」

美菜ちゃんは熱く語る。

「くっつくよ。大丈夫」

優は力強く請け合う。これまで美菜ちゃんから借りたマンガはたいがいヒロインとヒーローがうまく行くハッピーエンドだった。

主人公が敵と戦って強くなる、スポーツものや異世界バトルものなら、優はもっと感情移入がしやすい。会話もずれなく弾むだろう。しかし、美菜ちゃんは恋愛ものが好きなのである。

「サヤ、邪魔だよね。性格悪くて腹が立つ」

厭な女だよね、と優も同意する。ヒロイン同様、中学生の設定で、美少女モデルの有名人サヤ。不良グループを手先に使ってヒロインを襲わせたり、インターネットでヒロインのいかがわしい噂《うわさ》を流したり、いやらしいフェイク画像を流したりする。性格が、というより、普通に犯罪者なのだ。

うっとうしい。張り手をしてやりたい。

「でも、サヤの正体に、シンジは気がつかないんだよね。どうしてかな」

美菜ちゃんが嘆く。優はむずむずする。

シンジは馬鹿なのでは？

優には、シンジのどこが魅力なのかぜんぜんわからない。アイドルスターで顔はいい。だから？

優としては、サヤ以上に、シンジに張り手をを食らわせてやりたかった。

「三巻はもっともっと大変なんだ。続きを読むのが怖いよ」

「怖いね」

貸してくれなくていい。もうおなかいっぱいです。正直なところ、そう言いたい。しかし、言えない。

登季子さんに話すと、簡単に、言っちゃえば？　と返された。だけど、やはり言えない。言ってはならないと思う。

美菜ちゃんはマンガが好きで、好きな世界を優と共有しようとしてくれているのだ。言えるわけがない。

美菜ちゃんが好きな世界を、優は好きになれない。美菜ちゃんの興味と優の興味は違う。それだけだ。拒絶も否定もしたくない。

だけど、優は、美菜ちゃんにすもうの話はしたことがない。美菜ちゃんだけじゃない。学校では、すもうの話はしないようにしている。

一年生のときの、あの経験を、優は忘れられないでいる。

やはり土曜日のすもう教室が、生活の中心だった。

教室では、鈴木と優が最年長になっている。四年生に石井《いしい》、三年生に福田《ふくだ》、二年生に塙《はなわ》と中館《なかだて》という子たちがいた。みんな男の子で、ふとめ。しかし、優が負けることはほぼない。

優の身長は百五十五センチになった。ココアはときどき飲んでいたが、体重は四十キロだった。ごはんはよく食べている。必ずおかわりをする。しかし、ふとれない。

身長が百七十に近く、体重も七十キロを超えている鈴木には、五番に一番しか勝てない。まともにぶつかれば、弾き飛ばされる。組んでしまえば、岩のように動かない。

「よし、いいぞ。よく取った」

鈴木の差し手をうまくかわして勝ったときは、大山先生は歓声を上げて褒めてくれる。が、五番に一番だ。

「むうう」

鈴木は牛のような声を上げて悔しがる。けど、五番に一番だ。毎日毎日、一階の本棚のあいだで四股を踏んでいる。五十回も踏む。けれど、鈴木に勝てない。

悔しい。

しかし、四番勝っても、鈴木はあまり嬉しそうではなかった。

「当たりまえだ。俺、でかいもん」

無念そうにつけ加える。そこがまた憎たらしい。

「でかいだけだもん。ただのでぶだもん」

そうだそうだ。しかし、そんなことはない、と優は言ってしまう。もう一年生ではない。相手が鈴木とはいえ、気遣いをしてやる。優の内面も成長したのである。

「ただのでぶじゃない。強いでぶだ。教室《ここ》では無敵だもの」

とはいえ、美菜ちゃんには決して言わないようなものの言い方は、している。

「強いでぶ」鈴木は苦虫を嚙み潰したように繰りかえす。「無敵とはいえない。藤村には十番に一番は負ける」

「五番に一番」

優はすかさず訂正した。少し慰めてやったら勝ちを盛る。ずうずうしいやつだ。

「俺、格好いいかな」

鈴木はさらにずうずうしいことを言い出した。

「どう思う。格好いいか?」

「よくないよ」

「そうか」

鈴木は肩を落とした。格好いいと言って欲しかったのか。どこまでずうずうしいのだろう。

「格好いい、悪いは、個人の感覚の問題だよ？」

「そうか、そうだよな」

鈴木は弱気な表情のまま、おかしなことを言い出した。

「そもそも、すもうは損だよな」

「損？」

「みんな、すもうなんか取らないもんな。サッカーとかバスケットボールの方が好きだろう。体育でもサッカーはあるけどすもうはない」

まあ、それはそうだ。

「サッカーがうまいやつは女にもてる。いくらすもうが強くても、女にはもてない」

「プロの力士はもてていると思うよ」

「俺はもてない」

「そりゃそうだ」

沈黙が落ちた。

「鈴木は、女の子にもてたくてすもうを取っているわけ？」

優はあきれた。

「強くなりたいからじゃないの？」

「なりたいよ」

鈴木は慌てたようだった。

「でも、女にもてればいいなあ、とは、考えないこともないこともない」

「もてるだのもてないだの、まったく考えたことがない」

「藤村は女じゃん。すもうに強い女が男にもてるわけないじゃん」

まあ、そうだろう。それでけっこうだ。

「もてたくて教室に来ているわけじゃない。強くなればいい」

鈴木は少し考えながら言った。

「サッカーやバスケットボールはうまくないけど、すもうなら、たいがいのやつに俺は勝てる」

「じゅうぶんでしょ。もてるとかもてないとか、関係ない」

鈴木はちょっと黙ってから、言った。

「いや、関係ないことはないこともない。そもそも、藤村はなぜ強くなりたいんだ？」

「なぜって」

優は即答できなかった。考えたこともない。

「強い方が格好いいから、じゃないの？　格好よければもてるじゃん」

まだ言うか。

優はげんなりした。女の子にもてるもてないがそれほど重要か。鈴木のくせに。

「格好いいとか悪いとか、どうだっていい」

なぜって？

ただ、強くなりたいのだ。

理由はない？

本当に？

二

四時。

すもう教室を終えて、家へ向かったところで、背後から呼ばれた。

「スグルくん」

「はい？」

振り向いた。

見慣れたドラッグストアの前に、見知らぬ女のひとが立っていた。知らないひと。

一瞬、そう思った。

「スグルくんね？」

知らない顔。そう思った。けれど、優の中でなにかが弾けた。

「ママ」

優はママの写真を持っていない。夢にみることはあっても、顔立ちはいつも曖昧だった。だけど、覚えていた。

ママの顔。ママの声。

「大きくなった、スグルくん」

ママは、お化粧をしていた。

「会いたかった」

きれいになったママが近づいてきて、両手を差しのべる。ママの背は、優とあまり変わらなかった。

「スグルくんも同じよね」

冷たい指が優の頬に触れる。

「会いたかったでしょ、ママに？」

ママの手のひらが、優の頬を包み込む。

「会いに来たかったの。いつもスグルくんのことを心配していたわ。トキコさんの家にいるのね？」

優は頷いた。

「パパがトキコさんにスグルくんを押しつけたのね。トキコさんの家にいて、つらくない？」

ママは軽く首を傾《かし》げて、優の顔を覗《のぞ》き込んだ。ふんわりと、すずらんみたいないい匂いがした。

「つらい？」

「楽しい」

優は答えた。登季子さんは、仕事が忙しいときは部屋にこもりきりで、ごはんのときも上の空だけど、ランさんがいる。しょっちゅうべたべたはしてくれないが、三日に一度は優のベッドで一緒に寝てくれる。一階の本棚にはたくさんの本がある。はじめは絵本ばかり読んでいたけれど、このごろでは大人向けの本も読むようになっている。四股を踏む。つらいことなどない。

優は説明をしようとした。しかしママは大きく首を横に振った。

「わかる。わかるわ。寂しかったでしょうね」


今日は時間がないからゆっくりは話せないの。遅くなるとトキコさんも心配するでしょうしね。

言ってから、ママは優を連れて、商店街の中の喫茶店に入った。

何十回となく前を通っていたけれど、一度も入ったことがない、年季の入った小さなお店だった。四人掛けのボックスが奥に二つ。手前にひとつ。店内にはお客さんは誰もいなかった。ママは手前のボックスに腰を下ろした。座席はえんじ色の革張りのソファだが、破れていて、中からスポンジがはみ出していた。見まわすと、奥の席のソファも破れていて、その部分はガムテープで補修してある。流行《はや》っていないのだな、と優は思った。

「いらっしゃいませ」

店の右手にあるカウンターの中から、八十歳くらいに見えるおじいさんが出てきた。

「コーヒー」

ママはメニューを見もせず注文した。

「好きなのを頼みなさい、スグルくん」

木のテーブルの上に、アクリルスタンドに入った手書きのメニューが置かれている。優は手に取ってみた。眼を疑った。

コーヒー、紅茶、オレンジジュース。いかにも昔風の喫茶店といった品名が書かれている。コーヒーや紅茶にはホットとアイスしか選択肢がない。しかし、ほかの飲みものは予想以上に多彩だった。緑茶、ジャスミン茶、ココア、バナナジュース、ミルクセーキ、コーヒーフロート、コーラフロート、クリームソーダ。

優はメニューの裏側を見てみた。サンドイッチが三種類、たまごとハムチーズとミックス。ホットドッグ、ハンバーガー。このあたりは喫茶店らしい品だ。やきそば、カレーライス、オムライス。これらもわかる。ラーメン、鍋焼きうどん、玉子丼、親子丼、雑炊。これって喫茶店の品目なのだろうか。

すもう教室で大いに動いた後である。優はおなかが空《す》いてきた。

「なにを飲む？」

ママはやさしく促す。

「今日はあんまり時間がないから、ゆっくりは話せないけど」

さっきと同じことを言った。急がなきゃ。ラーメンや玉子丼が気になるけど、それは選んじゃ駄目だろう。優は慌ててメニューを飲みもの側に返した。

「ココア」

口に出して、すぐに後悔した。家でも飲める。せっかくお店にいるのだから、違うものを選べばよかった。

「お願いします」

おじいさんはカウンターの向こうへ去った。

ママは、おじいさんがコーヒーとココアを運んでくるまでのあいだ、自分の話をした。ママが家を出たのは、心の病気になっていたからだった。優を嫌いになったわけでも、棄てたわけでもない。病気さえ治れば優を引き取りたいと、パパには話をしたけれど、聞き入れてもらえなかった。今では病気も治り、郊外の町で新しい生活をしている。いずれは優と一緒に生活をするつもりでいる。

「本当に？」

優は、訊いていた。

「本当。もう少し待っていてね。必ず一緒に暮らせるようにしてみせるから」

湯気を立てたコーヒーとココアがテーブルの上に置かれる。優は胸がいっぱいだった。またママと一緒に暮らす。夢みたいだ。

「おばあちゃんは、元気？」

ママは眉根を寄せた。

「おばあちゃんはおととし亡くなったのよ」

亡くなった、おばあちゃんが。

「交通事故。それも、相手は自動車じゃなく、自転車だった。自転車とぶつかって倒れた拍子に、地面に頭を打ったの」

おばあちゃん。

＊　＊　＊

遠い記憶が蘇《よみがえ》る。

おばあちゃんが住んでいたのは、スグルの家から、電車で三駅、離れた町。おじいちゃんはスグルが生まれる前に死んでしまった。

おばあちゃんは、お習字の先生をしている。週に二回、マンションの部屋にはお弟子さんが来る。子どももいるし、大人もいる。

おばあちゃんは、おすもうのテレビ中継を観るのが好きだ。

たいていは週に二回くらい、多いときは三回も、スグルの家に来て、ごはんを作ってくれる。ママが出かけている日なのだ。

ハンバーグ。

オムライス。

カレーライス。

からあげ。

おばあちゃんの作るごはんはおいしかった。

「すうちゃん」

おばあちゃんは、そう呼んだ。

「スグルくん」とは、呼ばない。そう呼ぶのは、ママだけだった。

「おいしい？」

って、おばあちゃんは必ず訊く。

「おいしい」

スグルは答える。

「ママの作るごはんよりも？」

「ママは、ごはんを作らないよ。お店で買ってくる」

ハンバーグも、からあげも、お店で買う。でも、ママが買ってくるごはんだって、おいしい。

「料理は嫌いだからね。あんたのママは。料理に興味がない。ひとりっ子で、小さいころから神経質な子だった。厭がることは無理強いしないよう、自由にのびのび育てたら、そうなっちゃった」

困ったもんだ、と、おばあちゃんは溜息《ためいき》をつく。

「ママのごはんもおいしい」

「そりゃよかった。今どきは、出来合いだって健康志向のいいものがあるからね。あんたがちゃんと育ってくれればそれでいいんだ」

＊　＊　＊

おばあちゃん。

強い感情が胸から押し上げてきて、咽喉《のど》が詰まる。優におすもうを教えてくれたおばあちゃんが、もういない。会えないうちに逝ってしまった。

小さいころより、ちょっとは強くなったの、見せたかった。

「泣かないの」

ママは穏やかに微笑《ほほえ》みながら、言った。

「あんたはいい子ね、スグルくん」

泣いているつもりはなかったのに、いつの間にか顔はくしゃくしゃの泣きべそになっている。

強くなったの、おばあちゃんに知ってほしかった。

「迎えにくるまで、トキコさんの家で辛抱して待っていてね」

　ママはコーヒーカップを口に運んだ。

「辛抱？」

　つらいことなんかない。さっきもそう答えたはずなのに、伝わっていなかったのかな。あのころと同じだ。優の言葉は、ママにはうまく伝わらない。だけど、優はもう小学六年生だ。国語の成績だっていい。ちゃんと言わないといけない。登季子さんとの生活は悪くない。ランさんもいるし、本はたくさんあるし、すもうもできる。

　優が話そうとするのを、ママは笑いながら遮った。

「スグルくん、トキコさんの絵本が大嫌いだったのよ」

「え？」

　優は、ぽかんとした。

「絵本よ。覚えていない？　トキコさんが描いた、へんな絵本。スグルくん、泣いて厭がったじゃない？」

　ママは嬉しそうだった。

「何冊か読んであげたじゃない。覚えていない？」

　登季子さんが描いた絵本？

「引きこもりのかいぶつが出てきた。あと、脳みそを食べる人形とかね。いかにもトキコさんらしい、どうかしている絵本。あんなもの、子どもが気に入るわけがない。怯《おび》えるだけよ。現に、スグルくん、泣いたもの」

ママは胆《はら》の底から楽しげに笑っていた。

「トキコさんには、子どもの気持ちはわからないでしょう。偏屈な、魔女みたいなひとだものね。上から下まで真っ黒な服ばかり着て、分厚い眼鏡をかけて、一日じゅう家にこもって、あれで絵本作家だなんてね」

そう。確かに登季子さんは黒い服が好きだ。ママの言うように、出かけるときは、たいがい黒ずくめ。でも、家にいるときは、ほぼグレーかベージュのスウェット上下。黒だとランさんの抜け毛が目立つからだ。眼鏡も分厚い。買いものへは行くけれど、基本は家にこもりきり。

登季子さん、絵本作家だったの?

「スグルくん、しばらくの我慢だからね」

喫茶店を出て、別れぎわ、ママは言った。

「今日、ママと会ったことは、トキコさんに内緒ね」

店でもらったばかりのレシートの裏に、ママは電話番号とメールのアドレスを書いてくれた。優は携帯電話を持っていない。けど、会いたくなったら連絡してねと言ってくれた。

「あとね」

ママは長財布から紙幣を一枚取り出して、優の手に握りこませる。

「お小遣いあげる」

ママからもまた会いに来る。土曜日のこの時間なら会えるのよね？　今度はもっと時間があるときに来る。おいしいごちそうを食べましょうね。とも言ってくれた。

「会えて嬉しかった。スグルくんも同じ気持ちよね？」

うん。

優は頷いた。

ママは、じゃあね、と言って、商店街の通りを遠ざかっていった。

嬉しかった。言葉にできないほど、嬉しかった。

それは間違いない。わかる。わかっている。

きれいなやさしいママ。ココアはほとんど飲めなかった。ごめんなさい。おなかは減っていたはずなのに、咽喉を通らなかった。嬉しかったし、おばあちゃんのことは悲しかった。

鈴木に訊かれたときは即答できなかった、強くなりたかった理由。まだ、はっきりとは言えない。けど、たぶん、おすもうを見せてくれた、おばあちゃんの存在も少なからずあった、気がする。

悲しい。でも、ママに会えて本当に嬉しかった。

優は手のひらを開いてみる。

一万円。

ママ、こんな大金をくれた。

嬉しい?

なにか、おかしい。

強くなりたい理由が明確に言えないように、うまく言葉にできない。

おかしい。違う。もどかしい。

三

登季子さんに内緒。

ママとの約束だ。


家に帰って、優は一階の本棚を見まわす。

階段脇の棚は絵本ばかりの空間だった。そこにある本はぜんぶ読んだ。ヘンゼルとグレーテルとか、ジャックと豆の木とか、白雪姫とか、外国の童話が多かった。それぞれ違う絵で、ちょっとずつ内容も違うものが、四、五冊、多いものでは十冊以上も並べてある。

日本の絵本もたくさん置いてある。桃太郎、浦島太郎、うりこひめとあまのじゃく。もちろん、現代の作家の描いた絵本も数限りない。これまでどれだけこの本の森が優を満たしてくれたか、わからない。

『赤ずきんちゃん』の背表紙が眼に入る。

ママが読んでくれたな。そうだ、おばあちゃんも読んでくれたっけ。

そして、あのころ、絵本は優に語りかけてくれていたのだ。

＊　＊　＊

おおかみが、赤ずきんちゃんの先まわりをして、おばあさんの家に行ったよ。どうする？

絵本が訊く。スグルは、迷わず答える。

「おばあさんを助ける」

どうやって助けるの？

「赤ずきんちゃんやおおかみより先に、おばあさんの家に行かなきゃ」

行かなきゃ。急いで。

「走っていく」

スグルは走る。あんまり足は速くないけど、はしる。

おばあさんの家が見えてくる。

急いで飛び込む。

「おばあさん」

呼んでみても、遅かった。おばあさんはちょうどおおかみに丸のみにされたところ。

何だ、おまえは？

おおかみの口のまわりに、血がいっぱい。おばあさんの血だ。

こわい。

どうするの？

どうするの？

赤ずきんちゃんがそろそろ来るよ。

「赤ずきんちゃんを助けなきゃ。おおかみをやっつける」

スグルの躰はそんなに小さいじゃないか。どうやってやっつけるの？

「おすもうで勝つ」

おばあちゃんと一緒に、テレビで観ている大相撲中継。

「小さいおすもうさんでも、大きなおすもうさんを倒せるんだよ」

おばあちゃんが言っていた。

「倒せるんだ」

足をねらえ。

「とったりだ。ごらん」

おばあちゃんが言う。

「うまく決まった。あんなに大きなおすもうさんが、小さいひとに負けちゃった」

大きなおおかみが、倒れる。

スグルは、とったりで、おおかみを倒した。

毎日、毎日、絵本は語りかけてくれた。

『赤ずきんちゃん』、今日も読むの？

「昨日は勝った。おおかみを倒したよ」

今日はどうかな。勝てるかな？

「勝てる。勝つよ」

おおかみは、頭がいい。昨日の手じゃ通じないよ。

「そうだね。おばあちゃんもよく言っている。強いおすもうさんだって、いつもいつも、勝てるとは限らないんだ」

ましてや、スグルは、小さいんだものね。

「強くなりたい。しこをふまなきゃ」

今日はどの手でおおかみを倒すの？

考えなきゃ。

＊　＊　＊

ふわ、とした気配が、優の脚に触れた。ランさんだ。

「ただいま、ランさん」

ランさんは優を見上げて、ああ、と啼いた。

「絵本はたくさんあるけど、登季子さんの本は見たことがないよねえ」

呟いて、ランさんの背を撫でようとする。ランさんはひらりと身を翻して、逃げた。

「触らせてよ、ランさん」

ランさんは棚の縁に爪先を引っかけて、軽やかに棚の上へと上がっていく。

「待って」

ランさんを追って、上方の棚に視線を向けた優は、息を止めた。

ふじむらときこ。

あった。

登季子さんの作品群は、奥の棚の最上段に、ひっそりと並んでいた。

『パパからもらったおにんぎょう』

優がまず手に取ったのは、その一冊だった。

登季子さんが描いた、絵本。ママが言っていたのは、この本のことかな。扉の絵を見る。途端、咽喉の奥からあああと声が洩《も》れた。

覚えがある。

スグルは、この本を、読んだことがある。

ひらがなを読めるようになって、絵本はいっそうにぎやかにいろいろな物語を喋りはじめた。


「おみやげだよ」

パパは、にこにこして、すすむくんにはこをわたしました。

はこのなかには、きんいろのかみの、おとこのこのおにんぎょうがはいっていました。

「いいおともだちになれるよ」

おにんぎょうじゃない。ぼくはロボットがほしかったのにな。

すすむくんは、ぶすっとしたまま、おにんぎょうをうけとりました。

思い出した。

好きになれないけど、気になる。

スグルにとって『パパからもらったおにんぎょう』は、そんな一冊だった。

あたまがいたい。

めをあけると、まっくら。

へやのあかりはきえています。でも、うすぼんやりと、すがたがみえます。

ぞうっとしました。

あの、おにんぎょうです。

パパがくれた、おにんぎょうが、むねのうえにのっています。

そして、あたまをかじっているのです。


怖い。

そうだ。それで、いったん読むのをやめたんだ。

「おもしろいよ、これ」

ママは笑っていたんじゃなかった？


よなかに、あのにんぎょうは、あたまをかじるんだ。

いっしょうけんめい、言いました。

わるいゆめをみたのね。

ママは、しんじてくれません。


「スグルくんも、おんなじよ」

ママは笑っていた。確かに笑っていた。

「言うことをきかない、悪い子でいると、あたまをかじられちゃうんだよ」

怖すぎて、スグルは泣いた。

おともだちにいっても、しんじてくれません。

せんせいにいっても、しんじてくれません。


泣きながらも、続きを知りたかった。

知るのが怖い。でも、スグルはふたたび頁をめくり、絵本は語りつづけた。


つぎのよるも、おにんぎょうは、すすむくんのあたまをかじります。

「いたい、いたい、いたい」

おおきなこえでなきさけんでも、だれもきてくれませんでした。

すすむくんは、あたまをかじられ、のうみそをたべられてしまいました。


「いたい」

本当に痛みを感じた、気がした。


つぎのあさから、すすむくんは、いいこになりました。

え？
優は戸惑った。

パパとママのいうことをよくきく、いいこになりました。

ええええ？
どういうこと？

おにんぎょうは、はこにいれられ、おしいれのおくにしまわれました。

えええええ？

すすむくんは、おにんぎょうのことをわすれました。
ママも、パパも、おにんぎょうのことを、ひみつにしたまま、わすれました。
すすむくんは、おとなになるまで、ずうっといい子でした。

「これ、ハッピーエンドなの？」

本棚の上から、ランさんが優を見下ろしている。

「ハッピーエンドじゃないよね」

ランさんが、ふい、と横を向いた。

知らない。作者に訊け。

そう言われた気がした。

だよね。作者に訊こう。


「登季子さん、絵本の作家さんなんだってね？」

わかめと油揚げの味噌汁をひと口啜《すす》ってから、思いきって口に出す。登季子さんの箸が止まった。

「です。知らなかった？」

テーブルの上には、牛肉とごぼうの柳川風と、いんげんのごま和え。優はすごい勢いで一膳めのごはんをたいらげた。おかわりをしたところで、ようやくひと心地ついて、問いかけてみたのである。

「知らなかった」

ははははは、と登季子さんは爆笑した。

「登季子さんは教えてくれなかった」

「仕事場は立ち入り禁止だし、打ち合わせはいつもここの商店街の喫茶店で済ませているしね」

「商店街の喫茶店？」

「『ジュピター』って古い喫茶店があるじゃない。いつ行っても空いているから気に入っているの。おじいさんがマスターなんだけど、何十年も前からずっとおじいさんなんだよね。いったい何歳なんだろう？」

ママと入ったお店のことかな。『ジュピター』って名前だったのか。

「ラーメンとか親子丼がメニューにあるお店？」

おや、と登季子さんがちょっと眼を光らせた。

「入ったこと、あるの？」

「ない」

優は慌てて否定した。あぶない。登季子さんには内緒、なんだ。

「今まで何の仕事をしていると思っていた?」

「絵描きさんかと思っていた」

「間違ってはいない」

「半分だけだった。怖い話を描いているよね」

「そうね。大きな版元なら描けないかもしれないけれど、私が仕事をしているのは、変わった出版社の、変わった担当さんでね。怖いのをどんどん描いていいと仕事をくれる。どぎつい童話が大好きでね。グリムの原話とか、あれが本来の子供向けおとぎ話なんだ。どんどん描けって言ってくれる。ありがたい」

「人形が脳みそを食べる話は怖かった。今、読んでも怖い」

あんまり売れないのにね、と、登季子さんは小声でつけ加える。

「ありがとう。読んでくれていたんだね」

登季子さんは眼をほそめた。

「そう、優の家に、私の本を送ったんだ。あんたのパパに怒られて、ほんの二、三冊でやめたけど」

「パパに怒られた?」

「あんなひどい話、優に読ませられるかってね。怒鳴られた。そりゃそうだった。

私としては自分にできる精いっぱいの贈りものだったんだけど」

「おにんぎょうの話、ママは好きみたいだったよ」

「そう？」

登季子さんは、真顔になった。

「親になるって、すごいことだね」

優はわからないまま、頷く。

「あのお話、ハッピーエンドじゃないよね」

「脳みそを食われて、いい子になる。親の思いどおりのいい子にね。親のお人形よ。子どもはしあわせじゃない。ハッピーなわけないでしょう」

作者の返事は明快だった。

「どうしてあんな話を描いたの？」

「誰だって、生まれる場所は選べない。親も選べない。親だって子どもを選べない。血や肉は分けても、性格は似ても、同じ人間じゃない。親だから、子だから、受け入れ合うのが当然、なんてことはないわけ。まあ、つまりは、ハッピーで終わるおとぎ話、私はあんまり描かないんだよね」

「怖すぎる」

登季子さんは満足そうだった。

「怖がってくれてありがとう」

「怖くないお話は描かないの？」

登季子さんは軽く首を傾げた。

「ハッピーエンドも描くことはあるよ。ただ、読み手によって解釈は割れるかもね」

読んでみよう、と優は思った。怖いけど。


夜。

ベッドの中で、優は考えていた。

ママに会ったことは、登季子さんには、内緒。

でも、優は、言いたかった。話したい。

ぎいい、と半開きにしていたドアが押され、足もとにランさんが乗ってきた。

そうだ。まず、ランさんに言おう。ランさんなら、大丈夫だ。

「今日、ママに会ったんだよ」

ベッドの隅で背をまるめたランさんの口もとが、ほんの少し膨らんだように見えた。

「ママが会いに来てくれた」

ランさんの口もとは、さらにふくらんだように見えた。

「わたしに会いたかったって、言っていた。一万円もくれた。どうやって遣おうかね」

ランさんの口はぱんぱんにふくれた。

「内緒だって。ランさんもお願いね」

ランさんは立ち上がった。

「ランさん？」

つい、と背を向けて、ベッドから降りた。

「待って」

ランさんは、振り向きもせずに部屋から出ていってしまった。せっかく今夜は一緒に寝てくれると思ったのに、機嫌を損ねてしまったようだ。

話しかけたりしたのが、まずかったかな。

やっちゃった。つまんない。寂しい。

そして、優は気がついた。
いずれはママと暮らすようになる。それは嬉しい。
だけど、そうなると、登季子さんやランさんと離れて暮らすことになる。
嬉しい？
本当に？

第三章

かいぶつは、そとへでたらいけない

おうちのなかは、いつもまっくら。

ランプは、あかりをつけなかった。

「おまえのためだよ」

「おまえが、じぶんのてやあしをみたら、こわがるだろう。

かおをみたら、きをうしなってしまうだろうね」

「ぼくは、そんなにこわいの？」

「わたしだからがまんできるのさ」

一

四月。

優は中学生になった。

身長は百五十九センチになり、登季子さんと同じくらいになった。体重も増え、五十キロに達した。

「もっと大きくなるかねえ」

中学校の制服を注文するとき、登季子さんは首をひねりつつ言った。

「なりたい」

優は力強くこたえた。

「大きめを買った方がいいかもね」

そして、優は、がばがばに肩幅が大きいブレザーを着、ぶかぶかなスカートをはくことになった。

小学校の卒業式も、中学校の入学式も、保護者として出席したのは登季子さんだった。

パパは、入学式の前の夜に、登季子さんの家に顔を見せた。

「ずいぶん背が伸びたな」

以前、会ったのは、どのくらい前だったろう？　明確には思い出せない。四年生のころだったか。それとも五年生になっていたかな。ずいぶん寒い時期だった。暖房の効いたリビングルームにいても、パパはずっと黒いコートを着たままだった。コートを脱がないまま少しだけ話をし、帰っていった。パパに会うのは年に一回あるかないかだけど、いつもそんな感じだった。

「伸びたでしょう。育ち盛りだもの」

登季子さんが言った。

「そのうち、あんたの背丈を追い抜くかもね」

パパは、不快げな表情になった。パパの身長は、百七十センチあるだろうか。それほど高くはない。追い抜きたいな、と優は思った。パパより大きくなれば、鈴木にももっと勝てるだろう。

「あんまり育たれても困るな。制服を買い替えなきゃならなくなる」

いまいましげな口調になるのに、だいぶ大きいサイズを選びましたよ、と登季子さんが報告する。

「だぶだぶだよね」

登季子さんの言葉に、優も頷く。うん、がばがば。

「買い替えなんてとんでもないからな。制服一式と体操着、揃《そろ》えるだけでこっちは十万円以上払わされているんだ」

パパは吐き棄てた。

ランさんは、どこかに隠れて出てこなかった。パパが来ているときは、いつもそうだった。

「ランさんは気難しいからね。あんたのパパが気に入らないんだろう」

パパが帰ったあとで、登季子さんが苦笑いをしながら言った。ランさんの気持ち、優にもよくわかる。

「いつか相撲でパパを倒しちゃいな」

はははは、と優は笑う。登季子さんも笑う。


中学生になって、優はM町にある女子すもう教室へ通うことになった。

大山先生が紹介してくれたのだ。

「小学校を卒業したら、ここも卒業だな」

三月のはじめの土曜日、言いにくそうに言われたとき、優はがっくりうなだれた。ついに来たか、と思った。大山先生の教室の生徒は、小学生限定。中学生になると、みんな辞めていく。すもうを続けたいなら、すもう部がある学校へ行くか、中学生以上からのすもう教室を探すしかないらしい。

「鈴木と藤村は、同じ中学校へ行くんだろう?」

「区立S中学校です」

傍《そば》にいた鈴木が答えた。

「すもう部があるんです。でも、女子部はないんです」

鈴木め、嬉しそうな声だ。優は奥歯をぎりぎりと噛む。

「そうだってな。しかし、藤村にはすもうを続けて欲しい」

そして、大山先生は熱く言ったのだ。女子のすもう教室があるが、通う気はあるか、と。

「大学時代、同じ相撲部だった友人がいる。その奥さんが先生だ。女子ながら、数少ない相撲部員だった」

「通いたいです」

優は飛び上がりたいほど嬉しかった。通います。

「ただ、M町だ。近くはない」

「遠いです」

鈴木がぼそっと口を挟んだ。うるさい。

「電車を使って通うことになる」

「乗り換えもあるよな」

またしても鈴木が言葉を添える。黙れ。

「通います。通わせてもらいます」

「女子相撲への道も、今はまだ大きくはないが、確実に開けてきている。あきらめることはないんだ」

大山先生は激励してくれる。消え入りそうな小声で、鈴木は呟いた。

「細い道だ。無理することはないけどな」

張り手を食らわせてやりたい。が、にらみつけるだけで済ませた。優は胸に誓った。その教室に通って、すもう部にいる鈴木よりも強くなってやるのだ。

登季子さんに話をして、許可を得た。

「遠いね」

登季子さんも、心配そうに眉を寄せた。

「週に二回、水曜と土曜。帰りは夜になる。行きはともかく、帰りは迎えにいくよ」

「ひとりで大丈夫だよ」

「そんなわけにはいきません」

すもう教室へ行けることは嬉しかった。でも、登季子さんには迷惑をかけることになってしまった。

そして、ママの件があった。


ママは、ひと月に一度くらい、大山先生の教室の帰りに待っていてくれた。そして、喫茶店『ジュピター』で会っていた。帰りがけにはいつもお小遣いをくれた。すもう教室がM町になって、登季子さんと帰るとなると、ママに会うことはできなくなる。

ママに、伝えなきゃ。

しかし、次の週の土曜日の帰りに、ママは来ていなかった。

ママから教えてもらった番号に、電話をかけてみたことはなかった。優は電話を持っていないし、登季子さんの家にも固定電話はない。連絡のしようがないのだ。しかし、優は『ジュピター』のカウンターに、ピンク色の公衆電話が置いてあるのを知っていた。あの電話を借りてみよう。

優は、『ジュピター』の古びたガラス扉を、はじめてひとりで押しあけた。

「いらっしゃいませ」

声がして、いつものおじいさんが出てくる。

「あの、電話を使わせてください」

「電話？　この？」

おじいさんは渋い顔になった。

「こいつはねえ、もう使っていないんだよ。十円玉を入れても、どこにも繋《つな》がらない。十年も前から壊れている」

「そうなんですか」

優はがっかりした。紛らわしい。使えないのなら、なぜこんなに目立つ場所に置いておくのだ。

「貯金箱にはなるだろう」おじいさんは、優の心の声に応じるように言う。「今どき、みんな自分の電話を持っているから、壊れていても問題はないんだ。あんたは電話を持っていないのかね？」

優は頷いた。

「では、これを使いなさい」

おじいさんは、筆箱のようなプッシュホン式の白い電話機を差し出した。

「いいんですか」

「顧客《おとくい》だからね」おじいさんはにこりともしないで言った。「バナナジュースやミックスジュース。いつも違うものを頼んでくれる。やりがいがある顧客さんだ」

「ありがとうございます」

「長電話は困るよ」

優はママから教えられた番号にかけてみた。呼び出し音が七回。おかけになった番号にお繋ぎしてみましたが、お出になりません。無機質な言葉とともに切れた。

ママは、電話に出られない。

「出ないか。残念だった」おじいさんが、いくぶん気の毒そうに言う。「もし、この電話に折り返してかかって来たら、あんたがかけたことを伝えるよ。あんたの名前を訊いてもいいかね」

藤村優です。土曜日の教室が変わって会えなくなる。そう伝えてください。ありがとうございます、と優は頭を下げた。

「どようびのきょうしつがかわる」おじいさんはいつも注文を書く紙に優の言葉をメモした。「ふじむらすぐる。あんた、もしかしたら藤村書店の関係の子かね？」

「藤村書店？」

そういえば、登季子さんの家は、以前は本屋さんだったといっていたな。

「今ではお店は閉めて、娘さんがひとりで住んでいるようだ。娘さんもときどきここへ来る、顧客さんだ」

そうそう、仕事の打ち合わせに利用するっていっていた。

「あんた、あのひとのお子さんなの？」

「姪《めい》です。でもあの」

ママと会っていることは、登季子さんには内緒なのだ。

「電話や伝言や、バナナジュースやミックスジュースについては、あの」

ごにょごにょ言いよどんでいると、おじいさんはいいよいいよとわけ知り顔で頷いた。

「うちも商売だ。顧客さんについてよけいなことは言わない。わかっている」

M町のすもう教室は、駅からほど近い、裏通りのビルの三階だった。

「はじめまして。私がここの親方です」

と、にっこりした岡田《おかだ》先生は、大山先生と同じくらいがっしりした大柄な女性だった。

「藤村さん、大山先生から聞いています。稽古熱心で、いい相撲をとるんだってね」

教室には、十人ほどの生徒が来ていた。想像していたより、多い。雑談がぴたりとやんで、優の方を見ている。優の顔と耳が熱くなった。

「あなたが来るのを楽しみにしていたんですよ」

レオタードの上にまわしをしめた女の子たちのなかに、ひときわ背の高い、しなやかな子が、いた。優の方を、ちらっと見て、すぐに眼をそらした。

あのひと、強そう。

咄嗟《とっさ》に思った。理由はわからない。直感だった。そして、それは当たっていた。

杉浦沙知《すぎうらさち》。

あとで、岡田先生に紹介された。

「中学三年。優さんより二つ齢上。うちの教室の横綱」

はははは、と杉浦沙知は明るく笑った。

「褒められちゃった」

「褒めていない。ここの教室では、ってだけだよ、沙知」

岡田先生も笑いながらたしなめる。

「だけど、横綱ですよね。ありがとうございます」

「強いよ」

岡田先生は、優に向かって、囁《ささや》くように言った。

「本当に強いよ」

優の胸が高鳴った。


「どうだった？」

帰り道、迎えに来てくれた登季子さんに訊かれた。

「ぜんぜん」

「みんな、優より強かった？」

優は唇を噛んだまま頷いた。

優と同学年の子は、谷川華《たにがわはな》と望月胡桃《もちづきくるみ》と小畑真夜《おばたまや》。みな、優より大柄だった。谷川など、鈴木なみの巨体だった。とはいえ、体格の良さだけではなかった。自分のすもうができていた。

「女子のすもうは、階級別なんだって。公式の試合は、同じ階級同士で当たることになっている」

超軽量級は五十キロ未満、軽量級は六十キロ未満、中量級は七十五キロ未満、重量級はそれ以上である。岡田先生の教室に重量級の子はいなかった。

「わたしは軽量級。望月さんも小畑さんも谷川さんも中量級だった。教室では階級は関係なく総当たりだけど」

一学年上の上田彩夏《うえだあやか》と荒川舞《あらかわまい》も、優を寄せつけなかった。荒川など、優より小柄な超軽量級だったのに、まわしを取らせなかった。

「特にひとり、もの凄《すご》い子がいた」

三年生の杉浦沙知。

「同じ軽量級なのに、まるっきり歯が立たなかった」

五番取って、優は一番も勝てなかった。

なにもできない。突き出され、押し倒され、終わった。

「まったくすもうにならなかった。泣きそう」

その場では、涙をこらえるのが精いっぱいだった。

「泣きなさい」

泣きたい。しかし、まだ電車の中だ。

「帰ったら泣く」

「鈴木くんより強かった？」

「たぶん」

「みんな、優より大きいの？」

「谷川さん以外は鈴木ほどじゃない」

けど、鈴木よりうまい、と思う。

「大きい子もいたけど、体格じゃない」

荒川舞なんか、優より五センチほど背が低いし、体重も五キロは軽そうだ。

「強いんだ」

三年生で立ち合ったのは、杉浦沙知だけだったが、力の差は圧倒的だった。優を押し返して、微動だにしない。杉浦沙知は晴れやかに笑っていた。

悔しい。

優は唇を噛んだ。

「勝ちたい」

「負けず嫌いだね」

「ぜったい勝ちたい。強くなりたい」

強くなってやる。ぜったいに。

なぜ？

二

朝から晩まで、すもうと、杉浦沙知が、頭を離れない。『ジュピター』へは、学校からの帰り道に必ず顔を出し、伝言を確かめている。週に一度は白い電話でママに連絡をする。しかしママは電話に出ない。返事も来ない。

そんな毎日を過ごしているうち、五月になった。

優は一年B組。クラスメイトとは、おはよう、と挨拶を交わす。それだけ。友だちらしい友だちはできていない。みんな、毎日のできごとを報告し合い、家族の愚痴をこぼし、好きな歌手や俳優の話をしている。

水曜日と土曜日には教室がある。谷川や望月や小畑とは話す。岡田先生にも助言してもらえる。すもうの話だけ。日々の報告はしない。登季子さんやランさんのことも言わない。が、好きな大相撲の力士の話はできる。優とすればそれだけでじゅうぶんだ。

すもうの話以外、なにがある？

休み時間に、ぽつんとひとり。同じような子がいるのに、優は気づいた。関本晶《せきもとしょう》子《こ》、という名前の、小柄な子だった。

入学してすぐ、ずいぶん可愛い子がいるな。と思っていた、その子だった。

中間テストのとき、わかった。関本晶子は、優秀な生徒だった。国語、数学、英語、理科Ⅰ、理科Ⅱ、歴史、地理。ほとんどのテストで満点に近かったという話だった。

「答えを間違えたところは、いちいち先生に確かめに行っていたんだって。真面目なんでしょ」

クラスの子たちは、さらに遠巻きになったようだった。

「お勉強が大好きなんだよ、あの子」

優は国語は好きだ。英語も嫌いではない。歴史や地理もおもしろいところはある。しかし数学も理科も好きではない。その感情のとおりの結果だった。

優等生ではない。やむを得ない義務教育生徒としては、まあ、こんなものだろう。

「藤村さん、国語ができるんだってね」

帰りぎわ、教室を出ようとしたところで、関本晶子からいきなり話しかけられた。

「先生が言っていた。テストはともかく、クラスでいちばん作文がおもしろいのは藤村さんだって。春の遠足の作文、声を上げて大笑いしたって」

「そう」

遠足の作文、持って帰ったら、登季子さんにも爆笑されたのた。褒めてもらっているのか。優はくすぐったいだけだった。

「作文、私は苦手。どうしたらうまく書けるの？」

「どうしたらって」

真っ直ぐな眼で問われても、返答に窮する。遠足の行く先はT山だった。名前順、男女二人が並んで山道を登った。優と組になったのは鳩村悠太《はとむらゆうた》だった。仲がいいわけではないし、会話をすることはほとんどなかった。しかし鳩村悠太はひとり言が多いやつで、つらい、横っ腹が痛い、気持ち悪いげろが出そう、小石が靴の中に入って来た痛い、など、ずうっとぶつくさ言っていて、うるさかった。つらいなら口をきかず歯を食いしばれ。横っ腹が痛いのは運動不足のせいだ。げろならあっちを向いて吐け。小石はさっさと棄てろ。優は鳩村悠太の言葉と自分の気持ちをそのまま書いただけである。

「作文は難しい」

関本晶子は口もとを歪《ゆが》めた。

「特に読書感想文は本当に嫌い。本なんて読みたくないし、書けない」

「読書感想文を書きなさい、って学校で指定される本は、確かに今ひとつな気がするけどね。自分で選んで読むぶんには、本は楽しいでしょう」

「本を読むのが嫌いなの」

苦々しげに、関本晶子は言い棄てる。

「嫌い？」

優は眼を剝《む》いていた。読書が嫌い。そりゃ、そういう人間は少なからずいるだろう。鈴木など、本を読んでいる姿はまったく想像もできない。けど、関本晶子みたいに勉強が好きな型《タイプ》の子でも、読書が嫌いとはね。

「教科書を読むよりよっぽどおもしろくない？」

「教科書は読むしかない。理解しなくちゃならないし、覚えなきゃならないもの。でも、小説とかマンガとか読む意味がわからない」

優には関本晶子の言っていることの意味の方がよっぽどわからない。

「マンガも読まないの？」

「読まない」

「小さいころから？」

優の問いに、関本晶子は頷いてみせる。

「絵本は読まなかった？」

「幼稚園にあって、先生が読んでくれたけど、好きじゃなかった」

「おうちに絵本は置いてなかったの？」

「一冊もなかった」

優は耳を疑った。

「一冊も？」

「本棚はパパの部屋にしかない。お仕事で必要な本だけだと思う」

小さいころ、冊数はそんなになかったかもしれないけど、優は絵本とともに暮らしていた。登季子さんの家は本の森だ。まったく違う環境で生きてきた人間が眼の前にいる。

「私は作文や読書感想文がうまく書けるようになりたい」

関本晶子はもどかしそうに言った。

「どうしたらいいか、教えてくれないかな」

「教える？」

そんなこと、教えられるものだろうか。優は困惑するしかない。

「うまく書けなくてもいいいんじゃないの？」

関本晶子はかっと眼を怒らせた。

「よくない。作文が書けなかったら、国語で一番の成績が取れない」

「国語で一番にならなくても、ほかの教科はできるんだし、いいんじゃないの？」

「よくない」

関本晶子の眼のふちが真っ赤になる。

「私は、一番にならなきゃいけないの」

鼻も赤くなっている。いけない。

優は慌てた。が、遅かった。

関本晶子は大粒の涙をぽろぽろとこぼしはじめた。


関本晶子の父親は国立大学出の医学部教授で、母親も名門大学出の医師だった。兄も難関で知られる高校に通っている。

関本晶子は、中学受験に落ちて、優と同じ公立中学校へ入学した。

両親は、関本晶子に失望している。

「家族のなかで、私だけできそこないなの」

関本晶子は悲しげに言った。

「この学校では一番になって当たりまえ。高校受験では取り返さないといけない」

「おとうさんやおかあさんが、そう言っているの？」

「パパやママは、目指す学校に行けなくても、晶子には晶子の、それなりの人生があるって言うよ」

関本晶子はまた泣きそうになる。

「私のことをできそこないだと思っている。耐えられない」

「一番になりたいと思う気持ちはわからなくないよ」

優だって、強くなりたい。鈴木に勝ちたい。杉浦沙知に勝ちたい。

「でも、一番になれないからできそこないだとは思わない」

とにかく強くなれればいいのだ。自分を、そして誰かを守るために。

そこまで考えて、気がついた。

藤村はなぜ強くなりたいんだ？

いつかの鈴木の問いかけへの答えはこれだ。ずうっと前からそうだったじゃないか。考えるまでもない当たりまえな答え。

「おにいちゃんはそう言ったよ。おまえはできそこないだって」

「くそ兄貴」

優は思わず言っていた。

「勉強ができるからって、何なの。なにさま？　厭な男」

見失ってしまっていた、当たりまえな答え。

結良ちゃんのことがあったからかな。そうかも。

「厭な男だよね、本当」

関本晶子は、鼻を赤くしたまま、少しだけ笑った。

「思うんだけど、作文がうまく書けるようになりたいなら、本を読むべきだな」

優は考え考え、言った。

「文章を読んで、学んだり覚えたりすることができるなら、楽しかったり怒ったりはらはらしたりどきどきしたりしてみようよ」

その気持ちを外に出し、文章に書けば、それが感想文になるんだと、優は思う。

「どんな本を読めばいいのか、わからない」

関本晶子は途方に暮れたように首を振る。

「読みたいと思ったことがないもの」

そう言われると、優としても考えが止まる。

どうしたものか。


その日。

学校から帰宅した優は、一階の階段のところでランさんに迎えられた。

「ただいま」

ランさんは優の足もとをぐるりとまわって、ふくらはぎに尻尾を巻きつけた。

「関本さんと話せるようになったよ。ちょっとだけだけど」

報告。ランさんは尻尾を離して、一階の奥の方へ歩いていく。

「人間、いろんな悩みがあるものだね」

絵本のある本棚の前で、ランさんはにゃああと啼く。

「あっ」

声が出た。

そうだ、絵本だ。

どんな本を読めばいいのかわからない。なら、小さい子と同じように、絵本からはじめればいいんじゃないの？

三

杉浦沙知の差し手は左四つ。

右を取られると、どうにもならない。優が取った上手は切られ、かるがると投げられてしまう。

「沙知の形にさせちゃ駄目だよ、優」

毎回、岡田先生には注意される。

「はい」

わかっている。頭ではわかっているのだ。しかし、杉浦沙知と立ち合うと、いつだって右上手を取られてしまう。優の下手はがっつりきめられて、動きを封じられたまま投げを食らう。

まわしを取らせないようにしよう。そう考えて動いても、杉浦沙知には通用しない。下手を差されて身を起こされ、すくい投げを打たれる。

相手にならない。

「考えてくるよね、優くん」

杉浦沙知は悠然と笑いながら言う。

「油断できない。確実に強くなってきてるもの」

悔しいより、情けなくなって、優は下を向いてしまう。

杉浦沙知は、背は高いが、躰は決して大きくない。しかし圧倒的に強い。同じ中学三年生で重量がある池内穂香《いけうちほのか》と立ち合っても、決して力負けをしない。土俵ぎわまで押されても、そこから逆転の投げを決める。

「格好いいね、その子」

優の話を聞いて、登季子さんが言った。

そうだ、杉浦沙知は格好いいんだ。

いつか、鈴木がこだわっていた。格好よさ。その言葉がしっくり来る。強くなるだけじゃなく、格好いい。優もあんなすもうが取れるようになりたい。

鈴木と違って、もてなくてもいいけれど。


金曜日の放課後。

優は関本晶子を家に連れてきた。

「すごい」

一階の本棚を前に、関本晶子は呼吸《いき》を呑んでいた。

「本屋さんみたい」

かつての優と同じことを言っている。

「昔は本屋さんだったんだけど、今はお店じゃない」

優も登季子さんと同じ説明をする。

「絵本から読んでみようよ」

優は関本晶子を絵本の棚の前に連れてきた。

「どれを読む？」

関本晶子は戸惑いながら、大きさがまちまちなでこぼこの背表紙を眺めている。

「このへんにあるのは有名なおとぎ話ばかりだよ」

「知っている。『ヘンゼルとグレーテル』。お菓子の家が出てくる話だよね。たぶん、幼稚園で読んでもらったんじゃないかなあ」

関本晶子は小さな一冊を引き出した。

「『ヘンゼルとグレーテル』だけで何冊もあるんだね」

それか。優は少し暗い気分になる。あんまり気が進まないな。別に嫌いというわけじゃない。むしろ好きだったお話ではあるのだけれど。

どうしてかな。

「そう。絵もお話もちょっとずつ違うの」

なにより肝心かなめのお菓子の家が違う。屋根はケーキで壁はパンだったりビスケットだったり、ドアがチョコレートで柱がキャンディーだったり、窓ガラスは透きとおった砂糖だったり、絵本によって描かれている素材が違うのである。優にとってはその点が重要だった。

関本晶子は、こわごわといった風に、表紙を開いた。

「おおきな森のいりぐちに、まずしい木こりが、ふたりの子どもといっしょにすんでいました。男の子の名まえはヘンゼル、女の子はグレーテルといいました」

『ヘンゼルとグレーテル』、そうだ、かなり好きな話だったな。優は思い出す。やはり、お菓子の家に憧れる。一度でいいからチョコレートのドアを食べてみたいし、壁のビスケットをかじりたいし、砂糖のガラスを舐《な》めたい。

でも、お菓子の家のにせものは厭だな。お菓子の家の小さなキット。お店で売っているのを見かけるとかなしい気持ちになる。

遠く、なにかが引っかかるようで、鼻の奥がつんと痛くなる。

「じぶんたちの食べるものさえない。木こりはなげきました。あしたのあさ、子どもたちを森へ連れていって、そのままにしごとへいってしまおう、子どもたちは帰ってこられないだろうよ。木こりのつまがいいました。ひどい話」

関本晶子は憤慨したようだった。

「ひどい話だよね」

優も同意する。登季子さんの描く絵本もずいぶんだけど、おとぎ話ってかなり残酷な物語が多いんだ。

「おもしろい？」

「おもしろくない。ひどい」

関本晶子は怒っている。まずいな。優はひやりとした。もともと興味もなかった読書を好きになる、なんて、そんなに簡単な話じゃなかったかもしれない。

「あとちょっと我慢して読めば、お菓子の家が出てくるよ」

頑張れ、もうひと息。優としては励ますしかない。

「道がわかるよう、ヘンゼルが目印に白い小石を落としておいたから、家へ帰りついた。でも、この両親、またふたりを森の奥に棄てに行くんだね」

おもしろくないと言いながら、関本晶子は丁寧に頁をめくり、文字を追い続けている。

「次の目印はパンのかけらで、小鳥に食べられてしまって、家にはたどり着けない」

「お菓子の家は出てきた？」

「目印を探して歩きまわり、森をさまようヘンゼルとグレーテル。おなかはぺこぺこ」

「お菓子の家がいっそうおいしくなるよ」

「疲れ果てて木の下で眠り込むヘンゼルとグレーテル」

「睡眠は大事。起きたらお菓子の家が待っている」

「藤村さん」関本晶子が向きなおった。「少し黙っていてくれる？」

「はい」

さすがに優はむっとした。その言い方はないんじゃないの。

「真っ白な小鳥のうたごえ。みちびかれるようにヘンゼルとグレーテルが歩いていくと、小鳥は一軒の小さな家のやねにとまりました」

出た。関本晶子の手もとを覗き込みながら、優は安堵《あんど》する。お菓子の家、ようやく来ました。

「あまいにおいをただよわせた家のかべは、ビスケットです」

　絵の家の屋根からは白いクリームが垂れている。玄関のドアはチョコレートだ。おいしそう。

「ヘンゼルはやねをちぎりました。グレーテルは窓ガラスをかじりました。おなかが空いているからしょうがないけど、これって器物破損とか、窃盗に当たるんじゃない。犯罪じゃないの？」

　いちいち突っかかるね、このひとは。子どもをおびき寄せる罠《わな》なんだから、それでいいの。

「きゅうにドアが開いて、つえをついたおばあさんがでてきて、いいました。かわいい子どもたちだね。なかへはいってゆっくりおやすみ」

　それそれ、それが罠なの。おばあさんの正体は魔女。次の朝になればヘンゼルは檻《おり》に入れられ、グレーテルは炊事や水くみにこき使われるわけ。

「まじょは、ヘンゼルをふとらせてたべようときめました。グレーテルはヘンゼルのためにごちそうを作らされました。グレーテルがもらうのはのこりかすばかりでした。なにこれ。藤村さん、ひどい男女差別だと思わない？」

「喋っていいの？」

「話してよ。話そうよ」

ころころ変わる女だな。苛《いら》つくけど、まあ、おもしろくないことは、ない。

「小さいころ、わたしも思った。どうして魔女はヘンゼルをふとらせようとするのに、グレーテルはこき使ってさらにやせさせてから食べようとするのか」

「おかしいよね」

「登季子さん、わたしの伯母さんに訊いてみたら、ヘンゼルはそのままでは肉が硬くてまずそうだったからじゃないかって言っていた。だから脂身をつけて食べやすく加工する。グレーテルは肉が薄くてもじゅうぶんにうまそうだった。ブロイラーと地鶏《じどり》の違いみたいなものじゃないかって」

「本当？」

関本晶子は眉間にしわを寄せる。

「この魔女は、お菓子の家を罠に、子どもを取って食べるのが大好き。いわば子ども食いグルメ。プロフェッショナルでしょう。見立てに間違いはないはず」

と、登季子さんは、言っていた。

「でも、この魔女、眼が悪いんだよね」

関本晶子は疑わしげだった。

「ヘンゼルがふとったかどうかも確認できない視力」

「ヘンゼルの指をさわって確かめるつもりが、食べのこしの小骨を出されて誤魔化されている。ちょっとやそっとの近眼じゃないね」

「そんなんで、ヘンゼルとグレーテルの肉質を見抜くことができたわけ?」

「魔女は眼が悪いかわりに鼻が利いた、って書いてあったでしょう。きっと嗅ぎわけたんだよ、肉質」

「そうなのかな」

「そうだよ」

だって、登季子さんがそう言ったんだもの。

「プロの絵本作家が言っていたことだよ。見立てに間違いはないはず」

「そうなの?」

関本晶子はしぶしぶ納得した。

「ひと月たって、しびれをきらしたまじょは、ヘンゼルを食べてしまうことにきめました。グレーテルも、パンを焼くかまどに入れて、いっしょに焼いて食べてしまおうとかんがえました」

えぐい、と、関本晶子は低くうめいた。

読書嫌いとか言っていたけど、このひと、かなり入り込んでいるな。優はほくそ笑んだ。ただの食わず嫌いだったのではなかろうか。共感力がめちゃくちゃ高い。読書が嫌いとは思えない。

「でも、グレーテルは魔女の目論見《もくろみ》を見抜いていた」

「逆に魔女を突き飛ばしてかまどに入れ、鉄の扉を閉め、焼き殺した」

かまどぎわで、鮮やかな逆転。優は思った。こういうすもうを取りたいものだ。

「グレーテルは檻からヘンゼルを助け出しました」

よかったよね、と優は小さく言った。

「こわいものはなにもありません。魔女の家に入ってみると、部屋のあちこちに宝石がいっぱい入った箱が置いてありました。これはいい。ヘンゼルはポケットに入れられるだけの宝石をつめこみました」

よかったのかね、と優は言った。

「よくないと思う。泥棒だよ」関本晶子はいっそう低くうめいた。「わたしも少し持って帰るわ、と、グレーテルはエプロンいっぱいに宝石を包みました」

そのあたりの展開はすっかり忘れていた。

「エプロンいっぱい？」

「そう書いてある」

「ぜんぜん少しじゃない」優は唖然《あぜん》とした。「グレーテルってば、殺しをして、一気に柄が悪くなった感じ」

「こわいものはなにもありません、って、非行に走る『ヘンゼルとグレーテル』。こんな物語だったの？」

「こんな物語だったんだねえ」

「ヘンゼルとグレーテルは、まじょの森を抜け出して、みおぼえのある道にたどり着きました。そして、とうとう、なつかしいわが家に帰ってきたのでした」

関本晶子は、不満げに語尾を高くした。

「ふたりをすてようと言いだしたまま母は、死んでしまっていました。木こりとヘンゼルとグレーテルは、持って帰った宝石で、いつまでも楽しくなかよく暮らしました。こんな物語だったんだ」

しかめ面になりながら、関本晶子は絵本を閉じた。

「おもしろかった？」

「おもしろくない。ひどい。登場人物、みんな悪い。誰も好きになれない」

「そういう感想文が書けそうでしょ？」

関本晶子は、あ、と声を洩らした。

なにはともあれ、関本晶子は読書を楽しんでくれたようだ。よかった。

四

「今日は友だちが来ていたの？」

夕食のとき、登季子さんが訊ねた。

「話し声が聞こえたな、と思ったら、階下《した》だけで帰っちゃったんだね」

今日のメニューはチキングラタンだった。香ばしく焦げたチーズと熱々のマカロニを、優はふうふう冷ましながら口に運んでいる。

友だち、と言っちゃっていいのかな。

「絵本を読ませてあげていた」

登季子さんは、おやおや、と眼をほそめた。

「絵本が好きな子なの」

「嫌いなんだって」

登季子さんは片づかない顔になった。

「嫌いなのに、また、どうして読ませたりするの」

そこで、優は関本晶子の読書嫌いについて説明をした。

「なるほど」登季子さんは得心したみたいだった。「優は彼女を治療してあげるわけだね」

「治療なのかな。とにかくこれからもちょくちょく来るようになると思う」

関本晶子は、そう言っていた。

本、ひとりで読むのは私にはきついかもしれない。藤村さんが一緒に読んでくれたら、頑張っていけそう。いいかな?

基本、本はひとりで読むものだし、頑張っていくものか? とは思うけれど、一緒に読むのも悪くはなかった。関本晶子の反応はかなり新鮮だし、おもしろい。

「階上《うえ》に連れてくればいいのに。お茶にお菓子くらい出しますよ」

「次に来たら誘ってみる」

「優が友だちを連れてくるの、はじめてじゃない?」

そうだ。そういえば、そうだったな。

「マンガ好きな子も、鈴木くんも、家に来たことはないものね」

「美菜ちゃんはともかく、鈴木は友だちじゃない」

「そうそう、敵だった。そういえば今日、『ジュピター』で打ち合わせをしたんだけどね」

優はどきりとした。今日は関本晶子と帰ってきたから、『ジュピター』には寄らなかったのだ。ママからの連絡はまだ来ないのだろうか。

「優、あのお店に行ったことがあるの」

鶏もも肉が飲みこめない。じいさんめ、商売だとかなんとか言っていたくせに、登季子さんになにかよけいなことを言ったのだろうか。

「姪がいるんでしょって言われたからさ。まあ、こっちの会話が聞こえたからかもしれないけどね」

優はマカロニを頬張って、なにも言えないふりをする。

「担当さんに言われた。このごろ私が描く絵本は、あんまり残酷じゃないですねって。姪御さんと暮らしているせいか、子どもが過酷な終わりを迎えることがなくなってきたって言われちゃった」

グラタン皿をフォークでかきまわし、とろとろしたホワイトソースをすくう。

「人形に脳みそを食べられるような話、確かにここ数年は描いていないね」

おいしい、グラタン。優はぱりぱりしたチーズととろけた玉ねぎを口に運ぶ。大好き、グラタン。

「生活が変われば、いろいろ変わって来るよ。あんたが来てから外食もなくなったしね。自炊が基本になって、ありがたいことに健康的になった。グラタンなんか、ぜんぜん作らなかったな」

「おいしいのに」

「ありがとう。そう言ってもらえるから、作る」

「ラザニアも好き」

「今度作る。ひとりだと面倒になっちゃってね。以前はよく『ジュピター』でも食べていた」

「あの店、おいしいの？」

「普通の味」

　登季子さんは眼を光らせた。

「あんた、やっぱり、あのお店に入ったことがある？」

　優の咽喉から、う、と声が洩れた。

「お小遣いで足りた？　まあ、あんまり高くもないけど、あの店。どうせならもっと若い子向けのお店に行けばいいのに」

　登季子さんは、それ以上は追及しなかった。

　ローボードの上に座ったランさんが、優の顔をじっと見ていた。

第四章

かいぶつは、かがみをみた

ひがくれたまどに、すがたがうつった。

よわよわしいこども。かがみとおなじすがた。

「わたしだって、かがみとおなじことができる」

まどがらすが、ほこらしげにいいました。

「おまえのすがたをうつしてあげる」

「かいぶつがかわいそうだから」

「かわいそうだから」

一

四月。

優は高校に進学した。

日差しはまぶしく、暑いくらい。しかし風は冷たく強い。散りはじめた桜の花びらが舞っている。そんな日曜日。

優は、U公園のカフェで、ママと会う約束をしている。

約束は、三時。お店には五分前に着いた。厨房《ちゅうぼう》側の空間以外、三方向はガラス張りで、公園内の景色が見渡せる店だった。が、ママと会うとき、窓ぎわの席に案内されることはほとんどない。いつも奥まった厨房側のボックスでママを待つことになる。

「いらっしゃいませ」

白いシャツに黒いエプロン、黒いズボンの店員が、水とメニューをテーブルの上に置く。

「連れが来ますから、そのときにお願いします」

店員は去る。二年前から、登季子さんから許可された携帯電話で時間を確かめる。三時ちょうど。ママは、時間前に待っていることはない。時間ちょうどに来ることもない。いつものことだ。

優はメニューを開いて、飲みものを吟味する。今日はなにを飲もう。家からこの公園まで、歩いて二十分ほど。咽喉が渇いた。優は水をひと口飲む。ゆっくり決めよう。ママはまだ来ない。いつだって、十五分は遅れて、店に入ってくるのだ。慣れている。ママは、相手を待たせるのが、当たりまえなひとなんだ。

三時十七分。ようやくママの姿が店の入口に見えた。ふんわりした水色のスプリングコートを羽織ったママは、優を見つけて大きく手を振ってみせる。

「スグルくん」

ママは笑顔を輝かせている。

「会いたかった」

大きな声。一瞬、店じゅうのお客が、ママを見る。高校生の娘がいるようには見えない、若々しく華やかなママ。

「会いたかったよ」

繰りかえしながら早足で歩いてきて、向かいの席に座る。店員がやって来る。ママはメニューを一瞥《いちべつ》もせず、ブレンドコーヒーのホットを頼む。優も急いでアイスカフェラテを注文する。

「元気していた、スグルくん」

にこやかに訊く。ママは一度たりとも「遅れてごめんね」は言ったことがない。

優にも、理解はできている。

ママは、相手を待たせるのが、当たりまえ。しかも、優は、ママが産んだ、ママの娘だ。ごめんなさい、なんて感情は、はじめからない。

中学生になったばかりのころ、しばらく連絡が途絶えたときだって、そうだった。会えたのは、二学期が終わるころ。学校から帰ってきて、『ジュピター』の前を過ぎたところで呼び止められた。

スグルくん、どうしてママに心配をさせるの。待ったのよ、ずいぶん。

ママは謝ったりはしなかった。『ジュピター』で電話を借りて、何度も連絡を試みたことを伝えても、しかめ面で首を横に振るだけだった。

知らない電話番号でかけられても、出られるわけがないじゃない。怖い。

それなら、電話を持っていなかった優になぜ連絡先を伝えたのか。ママは説明しなかった。

ただ、急に会えなくなって、どれだけ心配したか。繰りかえし訴えた。

幼いころと変わらない。

何歳になっても、優の言葉は、ママには伝わらない。

「どうしていた?」

ママは、いつもの質問をする。

このあいだママに会ってから、どう過ごしたか。以前はいろいろ喋っていた。すもうのこと、登季子さんのこと、ランさんのこと。このごろでは、もう、言わない。

「うん、ふつうにしていた」

ママは、優の暮らしや感情を知りたいわけではない。そのことがわかったから。

優の日常話を、興味を持って聞いてくれるのは、登季子さん。興味はなさそうだけど、ランさん。ほかにはいない。だから、優は短く、近況を言う。

「先週、入学式だった」

M町の都立I高校だった。I高校には、通学圏内で唯一といっていい女子相撲部がある。杉浦沙知と荒川舞が通っていて、岡田先生が外部顧問を務めている。すもう教室からは、谷川華と望月胡桃が同じ高校に進学した。優にしてみれば、ほかに選びようがない学校である。

杉浦沙知は、高校でも無敵だった。去年の全国女子相撲大会で、軽量級部門で準優勝している。

優も、教室では負けなくなっていた。谷川華には押し負けることもあるが、小畑真夜や望月胡桃には引けを取らないし、下級生を相手に取りこぼすこともない。

が、高校には苦手な小兵の荒川舞と横綱の杉浦沙知。壁はいよいよ厚く高いのだった。

中学校の相撲部では部長だった鈴木は、強豪の相撲部があることで知られた隣県の県立高校に進学した。卒業式前、大山先生に挨拶に行ったとき、鈴木も来ていて、こう言われた。

もう、おまえなんかにはぜったい負けないからな。馬鹿。バーカ。

そして、大山先生に叱られていた。

内面も成長しないと、本当に強いとは言えないからな、鈴木。

しかし、ママは、そんなすもう方面に関心を向けることはない。前に言われたことがある。いくらうまくなったって、プロになれるわけじゃないんでしょう？　もっと先々の役に立つスポーツを習わせてくれればいいのにね。スグルくんが自分の子じゃないからそのあたりの考えがいい加減なんだわ、トキコさんは。可哀想よ、スグルくん。

ママだけの問題じゃない。

ママの言葉も、優にはまるで理解できない。

「パパは来た？」

「入学式には出られないからって、三月の終わりに会いに来た」

「中学校の卒業式だって来なかったんでしょう」

ママは、嘲るように鼻を鳴らした。

「相変わらず冷淡ね。自分の娘なのに」

優の身長は百六十七センチまで伸びた。肩の筋肉もついた。しかし、体重は五十五キロ以上にはならない。大きめを買った制服は、けっきょくサイズぴったりとはいえないまま、どこか身に合わない状態で卒業したのだった。

「スグルくんが赤ちゃんのころから、パパは冷たかった。泣き声がうるさくて眠れないとか、赤ん坊なんか欲しくなかったとか、そんなことばかり言っていたわ。愛情が薄いひとなのね」

高校は私服だった。いかに成長を遂げようが、パパから厭味を言われることもない。その点はよかった。

「スグルくんは可哀想。パパは再婚して、子どもがいるんでしょう。今の子は可愛いのかしらね」

優には十歳齢下の弟がいる。会ったことはない。奥さんの意向もあるから、会わせるつもりもない、とパパは言いきっていた。

現在の生活と家族が大事だからな。とも言っていた。

パパと会うのは、正直なところ気が重い。だけど、パパが言うことはわかりやすい。

「お友だちはできた？」

「同じ部活に、何人か」

谷川華もいるし、望月胡桃もいる。みな、クラスは違うが、同学年の子がそのほかに二人もいる。佐伯《さえき》あかり、小野寺愛希《おのでらあき》。二年生の荒川舞も三年生の杉浦沙知もいる。岡田先生もいる。

正確には、すもう仲間だ。友だちと呼べる仲ではない。しかし、ママには言わない。

「好きな男の子はできた？」

出た。近ごろでは必ず訊かれる質問。優は首を大きく横に振ってみせた。ママから受けるいちばん苦手な質問。

「彼氏ができたら、ママに報告してね」

ママはにこにこしている。できないよ。鈴木のように、もてたいとは思わない。美菜ちゃんみたいに恋愛ものに関心もない。

「でも、お友だちがいるなら、よかった」

ママはコートを脱いでまるめ、隣りの椅子にばさりと置く。

優はほっとする。ママは、優の返事を待ってはいない。

「ママの方はね。いろいろ大変」

そしてママは、ひと月前に会ったとき以来の、自らの近況の続きを語りはじめる。

ママは、K県の海辺の街に住んでいる。美術学校の出身で、今でも絵を描いていて、知り合いのギャラリーに出品することもある。が、絵でお金を稼いでいるわけではない。トキコさんみたいな商業美術とは違うからね、とママは見下すように言っている。話を聞くかぎり、ママが働いている様子はない。おばあちゃんが亡くなってからは、遺産がかなり入ったという。けれど、そのお金だけで生活ができているのかどうか、ママははっきりとは言わない。仲のいい誰かがいて、ときどき海外旅行へ行っている。誰かとは喧嘩をしたり仲直りをしたりする。そのたびにママは病気になって、優とも会えなくなる。優と暮らすためには、その誰かの都合が大いに関係する。優が把握しているママの事情は、以上である。

「迎えにくるまで、トキコさんの家で辛抱して待っていてね」

別れぎわにはそう言って、お小遣いをくれる。

「スグルくん、つらい思いばかりね。本当に可哀想」

ママと優の嚙み合わなさは、いつだって、変わらない。

二

次の日曜日には、関本晶子と会った。

登季子さんは仕事場にこもって忙しそうだ。『ジュピター』で会うことにした。

関本晶子は、学校一の成績を保ったまま、有名な受験校である私立のF学園に進学していた。

「別々の学校になっても、読書会は続けてくれる？」

卒業前に言われていた。「読書会」は、登季子さんの蔵書絵本時代を経て、関本晶子が文庫本を持ってくることが増えていた。

『ジュピター』で、優はコーラフロート、関本晶子はアイスティーを注文した。

「学校はどう？」

優は訊いた。F学園は難関で女子校だった。優の学校とはずいぶん空気が違うはずである。

「ひどいよ」

関本晶子は眉を八の字にする。

「現代国語が最悪。読書感想文を毎週ひとつは書けっていう、面倒くさい教師なの」

読書が好きな優でも、それはつらい。

「読書は、受験には直接役に立たなくても、きみたちの人生の糧になるとか言っている」

関本晶子は唇を尖らせた。

「将来の糧にはなるかもしれないけど、感想文は現時点での重荷でしかないね」

「藤村さんもうちの学校に来ればよかった」

優は即答した。「無理」

「だから藤村さんにはいよいよつき合ってもらわなきゃ」

関本晶子は布バッグから文庫本とノート、ペンケースを取り出した。

「課題図書『走れメロス』なんだ」

ノートを開き、ペンケースからシャープペンを出し、準備万端整える。

「二年生のときの教科書に載っていなかった？」

「忘れちゃった。もう一回、一緒に読んで」

関本晶子は文庫本を開いて、文章を読み上げる。

「『メロスは、村の牧人である。笛を吹き、羊と遊んで暮して来た』。遊んで暮らすなんて、気楽な稼業でけっこうだよね。こっちはおかげで感想文を書かされる」

「はいはい」優は同意した。「そのメロスが王宮に殴り込みをかけるんだよね」

なぜか。二年ぶりでシラクスの市へ来て、町全体に活気がないのに不審を抱き、通りかかった老爺《ろうや》に経緯を聞いたからだ。

「王様は、人を殺します。人を、信ずる事が出来ぬ、というのです」

「で、冒頭『メロスは激怒した』わけね」

「『呆《あき》れた王だ。生かして置けぬ』」

「短絡的だよね」

「本当」

関本晶子は頷く。

「あきれた王だから殺せ、というのじゃ、人を信ずることができぬから殺せ、というのと変わらない」

「つまり、そういう男に権力を握らせると、このシラクスの市のような運命が待っている」

「さすが藤村さん、鋭いところを突く。それ、感想文に書くわ」

関本晶子はノートにメモを書き込む。

すぐさま王宮に乗り込み、あっさり捕らえられるメロス。王の前に引き据えられ、問答のすえ、死罪を言い渡される。ここでメロスは三日の猶予を請うた。

「死ぬ前に妹の結婚式を挙げてやりたい、という理由。もともと、メロスはその買物のためにシラクスの市へ来ていたんだ。おにいちゃんに結婚式の準備をしてもらうなんて、私だったら厭だけど」

「関本さん、またおにいさんと喧嘩をしたの」

「喧嘩じゃない」関本晶子は暗い眼になる。「いつもの一方的なやつ。いや、その話はあとでゆっくり聞いて」

自分がいない三日のあいだ、人質として自分の親友セリヌンティウスを置いて行くことを、メロスは提案する。

「『竹馬の友、セリヌンティウスは、深夜、王城に召された』」

「真夜中にいきなり叩《たた》き起こされて、否応《いやおう》なしに連行。セリヌンティウス、さぞかし怖かっただろうね」

「教科書で読んだときも思ったたな」

関本晶子はメモをする。

「これ、友情っていえるのかな？」

「自分が人質になる事情が事情だもんね」

おじいさんがコーラフロートとアイスティーを持ってきて、テーブルの上に置く。

「頭に来たから、暗殺してやれと思って、飛び込んだら捕まっちゃった。そしたら死刑だって。でもちょっと用事があって。一回、家に帰らなくちゃならないんだ。それできみを思い出した。ぼくがいないあいだ、人質になっていてほしいんだ。いいよね？　ぼくたち、友だちだよね？　って、あんまりといえばあんまりだ。適当かつ無責任な野郎だと思わない？」

「友だちとは言いたくない」

「そういえば、関本さん、友だちはできた？」

さいわい、関本晶子とは中学三年間同じクラスだった。そのためもあってか、中学で仲がいいといえるのは関本晶子のみだった。優は自分から他人に打ちとけて話しかけることが得意ではなかった。関本晶子もご同様にみえる。二人とも、多くの友人に恵まれる型《タイプ》の人間ではないのだ。

「できない」

関本晶子はあっさりと答える。

「いらないよ。藤村さんがいるもの」

優はコーラフロートのアイスクリームを口に運んだ。嬉しいような、困るような、おかしな気分だった。

が、間違いなく安堵はしている。

「そっちはどう。藤村さんは仲良し、できた?」

「相撲部目当てで決めた学校だからね。すもう仲間はいる」

「仲間って、勝たなきゃならない相手でしょ。例の杉浦さんって先輩とか、荒川さんとか」

そうだね、と優は頷く。勝たなきゃならない。勝ちたい。

「私も、高校でも一番を取りたい。ママも高校時代の成績は一番を通したって言っていたから」

「おかあさん、関本さんにも一番になれって言うの?」

「言わない。晶子には晶子の人生がある。晶子なりに生きればいいだけだ。って言っているよ」

関本晶子は寂しそうに答える。関本晶子の両親はいつもそういう言い方をするんだな、と優は思う。だからよけい関本晶子は頑張ってしまうのだろう。

優とはまったく異なる状況だけれど、関本晶子も親とは歯車が合っていない。ずれた言葉を交わしつつ暮らしているのだ。

「じゃ、メロスに戻ろう」

セリヌンティウスを人質に置いて、メロスは村へ帰って来た。そして、妹の結婚式の日取りを、花婿に掛け合って翌日に決定する。

「勝手すぎる」関本晶子がまた不服を述べる。「去年、いとこのおねえちゃんが結婚式を挙げたんだけど、大変だったみたいよ。田舎だし親戚も多いし」

「結婚式は花嫁花婿にとって一生一度の晴れ舞台だものね」

優には親戚はいないし、登季子さんは独身だし、結婚式に縁はないが、そういうものらしい。

「準備万端、遺漏なく整えたすえに挙げるもので、そんなにばたばた慌ただしくやりゃいいってもんじゃない。招待客にも迷惑だ」

優は文庫本の文字を指で追ってみる。

「メロスがそんな他人の都合を気にかけた様子はないね」

「妹さん、メロスのせいで、嫁いだその日から姑《しゅうとめ》さんにいびられると思う。いとこも義理のおかあさんと合わないらしくて、同居だけはしないというのが結婚の条件だった」

「妹さん、まだ十六歳だって。わたしらと同じ年代なのに、姑による嫁いびりかあ」

「メロスが悪い」

　関本晶子はうらめしげに繰りかえす。

「メロスのせいだ。結婚式の日は大雨だって。いとこのときもすごい雨だった。招待客が不安を覚えているとき、メロスは『満面に喜色を湛《たた》へ、しばらくは、王とのあの約束をさへ忘れてゐた』」

「忘れるなよ、って言いたいね」

「『メロスは、一生このままここにゐたい、と思つた。この佳い人たちと生涯暮して行きたいと願つた』」

「『佳い人たち』の側も同じ意見かどうか、そこが訊きたいもんだね」

「メロスは席を立ち、妹に説教をかます。『おまへの兄の、一ばんきらひなものは、人を疑ふ事と、それから、嘘をつく事だ。おまへも、それは、知つてゐるね。亭主との間に、どんな秘密でも作つてはならぬ』」

「秘密を作るな、なんてね。夫婦のあいだだって、家族だからって、言わない方がいいこともあるんじゃないの」

優はママを思い浮かべた。

パパが優のことを可愛いと言わなかった。子どもは欲しがっていなかった。

そういうこと、言わなくていい。聞きたくないのにな。で、ママは嘘がつけない人間だから、と嬉しそうにしている。

「言わない方がいいことって、たとえばどんなこと?」

関本晶子に訊かれ、優は答える。

「あなた、今日わたし、隣村のロドリゲスと浮気しちゃったの」

ぶは、と関本晶子はアイスティーを噴いた。

「ロドリゲスって誰よ?」

知らない。たぶん、言わない方がいい妹の秘密。

「メロスは続けて言う。『おまへの兄は、たぶん偉い男なのだから、おまへもその誇りを持つてゐろ』」

「あんまり調子に乗るんじゃねえ」

関本晶子が低くうなる。優がママを連想したのと同じように、メロスと自分の兄の姿を重ねすぎているようだ。

「『花嫁は、夢見心地で首肯《うなず》いた』。これ、たぶん、話をほとんど聞いていないね」

「兄貴のたわごとなんか聞いていられない。妹はよくわかっているもの」

「翌朝未明、メロスは走り出す。『私は、今宵、殺される。殺される為に走るのだ。身代りの友を救ふ為に走るのだ』」

「自分が無理矢理身代わりにしておいて、悲壮ぶるな」

「でも、メロスは、すぐに走るのをやめてしまうんだよ。『まつすぐに王城に行き着けば、それでよいのだ。そんなに急ぐ必要も無い。ゆつくり歩かう、と持ちまへの呑気《のんき》さを取り返し、好きな小歌をいい声で歌ひ出した』」

　関本晶子は舌打ちした。

「こいつ、脳まで筋肉なの？」

「油断をしていたら、川が氾濫していた。前の夜の豪雨は伏線だったんだね。『見よ、前方の川を。きのふの豪雨で山の水源地は氾濫し、濁流滔々《とうとう》と下流に集まり、猛勢一挙に橋を破壊し、どうどうと響きをあげる激流』。大ピンチ」

「ようやく脳筋野郎の活躍どころが来たってわけね」

「ところがメロスは茫然《ぼうぜん》と立ちすくみ、あちこちと眺めまわし、声を限りに呼びたてる」

「活躍しない」

「しない。脳が筋肉だから、ただただうろたえている」

「さっさと対策を考えろ」

「筋肉だから考えない。川岸にうずくまり、男泣きに泣く」

「泣いている場合じゃないだろ」

「さらにはゼウスに手を挙げて哀願する。『ああ、鎮めたまへ、荒れ狂ふ流れを！』」

　神頼みかよ、と関本晶子はげんなりした口調で言った。

「けっきょくメロスは脳以外の筋肉を生かして急流を泳ぎ渡るんだけどね。しかし、そのときは早くも、太陽は西日」

「脳以外の筋肉を生かして、てきぱき行動しないから悪い」

「でも、このあたりは、自分にも思い当たる節はなくもない」

　優はいくぶん気まずい。目覚ましのアラームは七時に鳴るのに、蒲団《ふとん》の中でぐずぐず。朝食も洗顔も歯みがきも着替えもだらだら。そうしているうちに、家を出るのが遅くなって、気がついたら予鈴後登校だ。

「試験勉強も同じ。少しずつ復習しておけばいいものを、いつもぎりぎりになるまで手つかずで放置。そして神さまにすがりながら一夜漬け」

「勉強は習慣づけた方がいいよ」

関本晶子が気の毒そうに言う。

「楽なんだよ、そうした方が」

「そうだよね」

そうなんだよね。わかってはいるんだ。

「藤村さんのことはともかく、問題はメロスだ。疲弊しつつ峠をのぼりきったところで、いきなり山賊の一隊が躍り出る」

「展開が急だよね」

「メロスは山賊の棍棒《こんぼう》を奪い取り、三人を薙《な》ぎ払い、さっさとその場を去る。脳以外の筋肉、強い」

「というより、弱いね、山賊。何のために出て来たのか」

「王さまに命令されたらしいけど、責任感が乏しい。まあ、しょせんは山賊だから、我が身大事で、いい加減なのかもしれない。そして疲れが極限に達したメロスは、峠を下ったところで、一歩も動けなくなる」

「小説『走れメロス』の核とも言うべき場面だ。メロスはここで、はじめて裏切りを考えるんだよね」

「ここが核ね」

関本晶子がメモを取る。

「裏切りを考えるメロス。『ああ、もういっそ、悪徳者として生き伸びてやろうか』」

「けれど、近くに湧き水が流れ出ていて、メロスは水の流れる音を聞く」

「『メロスは身をかがめた。水を両手で掬《すく》って、一くち飲んだ。ほうと長い溜息が出て、夢から覚めたやうな気がした。歩ける。行かう』」

「ただの水で、こんなに元気になるものかな、とも思うけどね」

「メロスは再び走り出した。『メロスは黒い風のやうに走った。野原で酒宴の、その宴席のまっただ中を駈《か》け抜け、酒宴の人たちを仰天させ、犬を蹴とばし』」

関本晶子は表情を歪めた。

「犬が可哀想」

優も渋面になる。物語や映画やドラマで犬や猫が出てくると、たいがいランさんを連想するのだ。だから、犬や猫がひどい目に遭う展開は耐えがたい。

「『メロスは、いまは、ほとんど全裸体であった』」

関本晶子はさらに表情を歪めた。

「見たことある。街なかでまっぱだかの男。幼稚園生のころ、下半身だけ露出している男も公園で見た。つくづく気持ち悪いよね」

「変質者だ」

優も同意した。

「メロスは刑場にたどり着いた。『かすれた声で精一ぱいに叫びながら、つひに磔《はりつけ》台に昇り、釣り上げられてゆく友の両足に、齧《かじ》りついた』」

「セリヌンティウスは嬉しかったろうな」

「でも、もとはといえばぜんぶ『彼を人質にした私』、つまりはメロスのせいだよ？」

関本晶子は文庫本の頁を指先で叩いた。

「『群衆は、どよめいた。あつぱれ』。群衆もさ、よく考えてからものを言ってほしいもんだね。セリヌンティウスの身にもなってみろって。それでも『あつぱれ』と言う気になる？」

「他人の処刑を見物しに集まるような群衆って、あんまり深くは考えないんじゃないかなあ」

優は首を傾げる。

「しょせん他人ごとだもの。とにかく、帰ってきたという事実が重要なんだよ、この場合」

「ここでメロスの劇的な発言。『私を殴れ。ちから一ぱいに頬を殴れ』」

ふん、と関本晶子は鼻を鳴らした。

「セリヌンティウスにしてみれば、二つ返事でOKだろうよ」

「途中で裏切ることを考えた、と正直に打ち明ける。嘘も隠しごともない友情。これこそ太宰が描きたかった理想の関係なんだろうけどね」

スグルくん。ママがいちばん好きだった男の子の名前をつけたの。パパには内緒にしておくつもりだった。でも、ママは正直だから黙っていられなくて、つい喋ってしまったの。パパは怒った。それでよけいにスグルくんを可愛がらなくなったのかもしれない。心が狭いひとだものね。スグルくん、可哀想。

「勝手にやらかして勝手に後悔して勝手に打ち明けてくる。告白という形で自分の心苦しさを相手に押しつけて、自分ばかりが自分の正直さに酔っている」

「たまったもんじゃないよね」

関本晶子は頷きながら文章を眼で追っている。

「セリヌンティウスは『刑場一ぱいに鳴り響くほど音高くメロスの右頬を殴った』。普通なら、疲れ果てて血を吐いて、ふらふらしている人間に、ここまでの仕打ちはしないよ。よほど怒っていたんだろうねえ」

「けど、セリヌンティウスもすぐに言うよね。『メロス、私を殴れ。同じくらゐ音高く私の頬を殴れ。私はこの三日間、たつた一度だけ、ちらと君を疑つた』」

「とっさにすらすらとこれだけの台詞が出てくるの、あやしい」

関本晶子はアイスティーのストローをくわえた。

「本当はセリヌンティウス、ちら、なんてものじゃなく、三日間ずーーーーっと疑っていたんじゃない？」

アイスティーが、ずずずずず、とすすり上げられた。

「メロスは『腕に唸《うな》りをつけて、セリヌンティウスの頬を殴つた』」

「メロスもむかっ腹が立っていたっぽいね」

だねえ、と優も溶けたクリームと気の抜けたコーラの混ざったどろどろの液体をひと口すすった。

「せっかく苦労を重ねて帰って来てやり、懺悔《ざんげ》までしてみせた結果が、強烈な張り手一発だものね」

「いくら『ちから一ぱいに頬を殴れ』と口走ったにせよ、遠慮をするのが礼儀だろ。くらいには考えていそう、メロス」

「そしてメロスとセリヌンティウスは抱き合って泣く。群衆も泣く」

「メロスは泣くよね。これから磔台に釣り上げられるのは確定だったし。セリヌンティウスにしても泣くよ。適度な距離感でうまく行っていた友情は、今回の事件でとうとう壊れたし。泣くしかない」

「王様は勝手に感動する。『おまへらの望みは叶《かな》つたぞ。おまへらは、わしの心に勝つたのだ。信実とは、決して空虚な妄想ではなかつた。どうか、わしも仲間に入れてくれまいか』」

「厭だよね」

　関本晶子はストローで氷だけになったグラスをつつく。

「仲間って、なに。お断りだ」

「公園で缶蹴りやってるわけじゃないんだからねえ」

「さんざん人間を殺しておいて、それで済むか」

　関本晶子は文庫本の頁をぱらぱらめくって確かめる。

「ええと、この王さまに殺《や》られたのは、妹の婿さん、こいつ自身の跡継ぎ、妹さん、妹の御子さん、嫁さん、賢臣のアレキスさん、その他大勢のひとたち」

「みんななかったことにして、ぼくも仲間に入れて」

「ふざけるなとしかいえない」

「これ、二人に集中した群衆の感動に横から割り込もうとしたんだろうね。暴君であっても、仮にも一国の王。その場の空気の流れくらいは読むでしょう」

「ああそうか」関本晶子はストローを離してメモを取る。「非難の矛先が自分に向かないうちに、群衆の興奮に紛れて自らの悪行三昧をうやむやにしてしまう魂胆だった。スポーツウォッシングってやつね」

「『どつと群衆の間に、歓声が起つた。「万歳、王様万歳。」』。王の作戦、見事に成功」

「けっきょく、メロスは王の信望回復に利用され、独裁体制の強化に力を貸しただけだった、と」

関本晶子はメモを書きつづける。

「思慮を欠いた正義に根ざした英雄的行動など、しょせんは権力者の掌《て》のなかでどうにでも変えられてしまうものである。感想文にはそう書いておく」

「わたしとしては、悪くない結論だと思うけれど、先生からの評価はよくないかもしれないよ?」

「提出用に清書するとき、内容は適度に薄める」

優は文庫本を手に取り、小説の結末を読みあげる。

「『ひとりの少女が、緋《ひ》のマントをメロスに捧《ささ》げた』『「メロス、君は、まっぱだかじゃないか。早くそのマントを着るがいい。この可愛い娘さんは、メロスの裸体を、皆に見られるのが、たまらなく口惜しいのだ。」』」

「そんなわけがあるか」

せわしなくメモを書きつけながら、関本晶子があざ笑った。

「この娘さんは、汗まみれ泥まみれの、きたならしい男のふるちん姿を眼に入れたくなかっただけだよ」

優はどろどろの液体を飲みながら、言った。

「それは感想文には書かない方がいいよ」

三

けほけほ。

登季子さんが咳をしている。

「風邪？」

優は訊ねる。

「気味かな。たいしたことはない」

「薬は飲んだ？」

「もちろん」

咽喉が痛い。鼻水が出る。熱っぽい。ちょっとでも風邪の症状があれば、すぐさま市販薬を飲むのが、登季子さんの方針だった。そのため薬箱には解熱剤と風邪薬と葛根湯《かっこんとう》は常備してある。

「お仕事はどう」

「もう少しです」

夕食はカレーライスだった。登季子さんが作るのは肉と玉ねぎだけのシンプルなカレーで、今日は豚バラ肉の薄切りだった。つけ合わせにはゆでたまごと粉《こ》ふきいもとにんじんグラッセ、と決まっている。福神漬けも添えられている。

「手抜きで悪いけど、明日の夜はカレーうどんだよ」

「カレー大好き。大丈夫」

優は、登季子さんに、関本晶子と会った話をする。

「関本さんは元気にしているんだね」

「変わらない」

「F学園って、勉強が大変なんでしょう」

「一番を取るって言っている。すごいね、あの子」

「優と同じじゃない」登季子さんはおかしそうに笑った。「あんたもいつも、いちばん強くなる、なりたいって言っている」

「わたしは、すもうだけだもの」

しかも、決して、一番にはなれていないのだ。

「でも、関本さんは実際にテストで学年一位になっているからね」

「優だって、私からみればじゅうぶんにうまいし強いよ、すもう」

「いや」優は即答した。「まだまだ」

杉浦沙知には一度も勝てたことがないし、谷川華にも十番のうち二番は負ける。

「まだまだ、まだまだ」

強くなりたい。ならなきゃいけない。

「向上心がすごいね」

登季子さんは感嘆した。

「優は、どうしてそんなに強くなることにこだわるのか」

どうして？

自分を守るため。誰かを守れるようになるため。

優は戸惑いを覚えた。

どうしてって？

いつしか、優の内部で、祈るような思いが生まれ、育っていたのだ。

強くなりたい。強くなるのだ。

思いだけが、優を突き動かしてきたのだ。

どうして？

どうしてだったろう？

「関本さんとは、負けず嫌いが似ているんだろう」

登季子さんが福神漬けを箸の先でつまみながら、言う。

「だから気が合うんだ」

そうなのかな。そうかも。

「また家に連れておいで。関本さんは楽しい子だよ」

だよね、と優は頷く。

「でも、なぜか友だちは作らないみたい」

「かもね」

登季子さんは意外とは感じていないようだった。

「協調性があるとはいえないからね。その部分も優と共通する」

そうなのかな。そうかも。

「二人とも、他人との距離の取り方が独特だ。現在《いま》のうちは孤立するかもしれない。社会人になってしまえば楽に過ごせるんだけど、学生のあいだはね、友だちが多いほど、成功者ってところがあるから」

けほけほけほ、と登季子さんが咳《せ》き込んだ。

「大丈夫?」

「平気、平気」

言いながら、登季子さんはコップの水を飲む。

「カレー粉は咽喉によくなかったかな」


その夜。

部屋に戻って、ベッドに腰をかけたとき、いつの間にか部屋に来ていたランさんが膝の上に乗ってきた。

「今夜は一緒に寝てくれる？」

優はふわふわしたランさんの後頭部に鼻を押しつけた。

猫毛の香ばしさに混じって、カレーの匂いがした。

第五章

かいぶつは、かいぶつ

かいぶつは、おそるおそる、かがみをみた。

やせたこどもがうつっていた。

「あれが、わたし？」

「ちがうよ」

かがみは、言った。

「ほんとうのおまえは、あんなちいさなよわよわしいこどもじゃない」

「かいぶつだ」

一

春。

優は高校三年生になった。


強い咳。

登季子さんは、しんどそうだった。

「迷惑をかけるね」

毎日みたいに、同じことを言っている。

「いい機会だと思って、ゆっくり寝だめをしておきなよ。退院したらまたなにかと忙しいよ」

登季子さんは、家から一キロほどの場所にあるM病院に入院していた。

ずっとおさまらない咳は、風邪じゃなかった。

「食事は大丈夫?」

登季子さんは四人部屋の廊下ぎわのベッドを与えられている。周囲の患者さんたちはカーテンを閉ざして寝ている気配だ。

「朝はパンだし、昼は学食の日替わり定食って決めているし、夜はだいたい『ジュピター』で食べている」

この機会に、と思い立ち、ながいこと気になっていた『ジュピター』の、喫茶店らしからぬ謎メニューを片っぱしから注文しているのだ。たまご丼、親子丼、鍋焼きうどん。こんな注文を受けるのはひさしぶりだ、とおじいさんは喜んでいるようにみえる。

「こっちは入院している身だというのに」登季子さんはまた咳き込んだ。「あのじいさんは元気でうらやましい。不死身なのかな」

「ラーメンを頼んだら、サッポロ一番の塩味だった」

「そうそう、あのお店は、そうなんだよね」登季子さんは頷いた。「じいさん、自分が食べている食事をそのまま出してきているんじゃないかと私は推測している」

「読みは当たっていると思う」

昨夜、おじいさんはメニューにないぶり大根を執拗に薦めてきた。きっと夕食の残りものだ。

「野菜はちゃんと摂っている？」

「ラーメンにはもやしと玉ねぎの炒《いた》めたやつが盛り盛りだった。登季子さんこそ、病院の食事、ちゃんと食べている？」

優から見る登季子さんは、このところかなりやせた。もともとふとってはいない登季子さんだったけど、肩が目立って薄くなった。

「まずくはないけど、病院の食事はあっさりしすぎていてね。サッポロ一番、私も食べたい」

白髪も増えた。おばあさんみたいに見える。

「よし、退院したら、『ジュピター』へ行こう」

「じいさんに作ってもらわなくても、自分で作る。第一、私はみそ味の方が好きなんだ。もやし炒めなら断然みそ味」

「うん、みそ味もおいしそう」

登季子さん、何歳だっけ。それほど老人ではなかったよね。

「ばあさんになったろう」

登季子さんは優の心を読んだ。

「そんなこと思ってない」

優は嘘をつくしかなかった。

「頭は真っ白、骨と皮。滑舌も悪くなって、ふがふがだ」

登季子さんは、低い声で言った。

「童話に出てくるひとと食い魔女、そのまんまでしょう」

「そんなことは言っていないし、思ってもいない」

という、心の裏をたまに読むのが、登季子さんでありランさんなのだ。

「ランさんは元気にしている?」

ほら、今も、登季子さんは優の連想についてきたように、話題を変えた。

「元気。昨日も夜中に運動会をしていた」

ランさんは深夜、いきなり走り出し、暴れる。優の腹を踏み台にして、本棚に飛び乗ったり、本棚から降りるときの受け皿にしたりする。そのたび、優は睡眠から引き戻され、「ううう」とか「うげ」とか「うご」とか、呻《うめ》かねばならない。

でも、優のベッドで一緒に寝てくれては、いる。蒲団のなかは暖かい。ありがたい。

「あの猫《こ》も私と同じばあさんなのに、活力があってけっこうだ」

そう、ランさんは、優と同じ年齢なのに、もはや老猫なのだ。

「大事な仕事の電話をしているときにかぎって、トイレに入って大をする。したあとは砂をまき散らし、走りまわる。拋《ほう》っておくと、砂はだけではなく、ウンコを掻《か》きだす」

「それがランさんだから。『ジュピター』のじいさんと同じで、不死身なのかもしれないよ」

「不死身であってほしい。本当にね」

登季子さんが寂しげに呟いた。「ランさんに会いたい」

「明後日《あさって》が手術でしょう。二、三時間で済むし、術後は一週間もしないで帰れるって医者《せんせい》も言っていたじゃない。もう少しの辛抱だよ」

「迷惑をかけてごめん」

話が戻った。

「迷惑じゃないって、ぜんぜん」

「毎日毎日、病院へ来てくれなくてもいいんだよ。部活だってあるんでしょう。秋には全国大会も控えている」

部活。

優の胸が、ちくりと痛む。

女子相撲部で、優は副部長になった。部長は谷川華だ。団体戦では大将が谷川華で中堅が優、というのが定位置になっていた。去年の大会も、個人戦では谷川華は重量級の三回戦で敗れたが、軽量級の優は決勝まで進んだ。

打倒目標であった杉浦沙知には、ついに勝てずじまいだった。杉浦沙知は進学し、相撲を続けている。T県にある岡田先生の出身大学だ。優も同じ学校へ行きたいと思っている。T県は遠い。登季子さんの家を離れ、寮に入るかひとり暮らしをしなければならないが、目指す方向にぶれはない。しかし、三年生になって、気持ちがいささか弱くなっている自分を感じてもいる。

三月に卒業していった、超軽量級で相撲巧者だった一学年上の荒川舞は、相撲部のない大学に進学した。すもうを続ける気もない、と言っていた。

すもうは好きだけど、続けられる環境が少なすぎる。関東に女子相撲部はほとんどないし、沙知先輩みたいにT県にまで行く本気は持てない。限界はあるよ。

別れぎわ、荒川舞に言われた。

優はさ、もう少し、みんなと仲良くした方がいいよ。

その言葉が、胸に突き刺さって、じくじくと疼《うず》いている。

仲が悪いわけではない。すもう教室のころから一緒の谷川華や望月胡桃とはもちろん、佐伯あかりや小野寺愛希。相撲部の部員仲間と話してはいる。後輩とも挨拶はするし、会話もする。

しかし、自分自身に踏み込んだ話はほとんどしていない。

みんな、ママやパパや、おねえちゃんやおにいちゃんや妹や弟と暮らしている。優とはそこから違う。そこから説明をするのは、気が重い。気がつくと話を合わせ、聞き手にまわっている。

仲が悪いわけでは、決してない。けれど、親しいとはいえない。

ほかのみんなはつるんで買いものに出かけたり、食事をしたりと、すもう以外の時間を共にしている。が、優が声をかけられることはない。

気がついてはいた。

嫌われている、とまではいえない。かもしれないが、避けられてはいる。

谷川華は重量級だ。しかし、すもうを取れば優が勝つことが多い。右四つで力はあるが、腰が高い。取りなれた優は谷川華の欠点を熟知しているから、極力差し手は取らせない。取られてもおっつけて切る。足もとを攻めて体勢を崩す。それでも大将も部長も谷川華だった。

谷川華は明るくていつも笑っている。部員のみんなは、谷川華を中心にすもう以外の話をしている。好きな歌手の話、好きな男の子の話。優と話すのは好きな大相撲力士の話やすもうの取り口、腕のきめ方や足遣いの話である。

荒川先輩、彼氏ができたらしいよ。それもあって、おすもうをやめるんじゃないかな。

望月胡桃が言っていた。えええ、と谷川華は悲鳴をあげた。そりゃないよね。優もえええとうめいた。そりゃないよ。しかし、谷川華のそりゃないよと、優のそりゃないよは、意味が違う。

彼氏か、いいなあ。谷川華は呟いた。優は嘆息した。よくないなあ。同じ相撲部員ではあっても、優は、みんなと違う。

わかってはいた。わかってはいても、どうしようもない。すもうであれば、対策は考えられる。相手の出方、自分の得意手、勝負の流れは変えられる。しかし、現実はすもうと同じわけにはいかない。

「四股は家でも踏めるからね。部活の子たちとは取りなれているし、基礎さえおろそかにしなければいい」

登季子さんへの返事が、自分に対する言いわけのように聞こえる。

「仕事場にいても、どすどす響くよ。一階の土間、優の四股で、だいぶすり減ったんじゃないかね」

登季子さんはおかしげに笑う。

「大会までには元気にならないとね」

「本当に」

優も願う。年に一度、関西で開かれる相撲大会をわざわざ観に来て、応援をしてくれるのは、登季子さんだけなのだ。

「今年も会場は大阪かな。また、たこ焼きや串カツを食べよう」

食べたい。優の口もとがほころぶ。おみやげに買った豚まんもおいしかった。

「おいしいものはたくさんある。一泊くらいはしたいところだけど、ランさんがいるからね」

留守番が長引くと、ランさんはご機嫌を損ねる。去年はソファカバーがぐちゃぐちゃにされ、ランさん用の飲料水の容器が倒され、トイレの猫砂が床一面に散り、排泄物《はいせつぶつ》が転がっていた。最終の新幹線で帰宅ののち、登季子さんと優は疲れた躰に鞭《むち》打って、まずはリビングルームの片づけをしなければならなかった。

「ランさんも連れて行ければいいんだけど」

登季子さんは苦笑した。

「無理」

優は即答した。狭いケージに入れて、ひと込みのなかを連れまわし、すもう観戦を強いたりなどしたら、ランさんは全身怒髪天を衝《つ》くに違いない。

「今年こそ関本さんも来られるといいね」

あ。

そうだった。

関本晶子も、応援に行きたい、と言ってくれてはいたのだ。が、なにしろ、新幹線での遠征。おととしも去年も、親からの許しが出なかった。

「今年こそ、無理じゃないかな。大学受験を控える身だもの」

優は首を横に振る。関本晶子の志望校は、国立の名門大学であることを、知っていたのだ。

「関本さん、ものすごく行きたがっていたのに、残念だった」

登季子さんだけじゃなかった、な。

二

関本晶子は、リビングルームの三人掛けのソファに腰をおろしていた。

「今日の本は何でしょうか」

優は訊く。読書会は続いているのである。

「『智恵子抄《ちえこしょう》』」

関本晶子は鞄《かばん》から文庫本を取り出した。

「教科書に載っていたんだよね。『レモン哀歌』」

「『智恵子抄』?」

優は軽い衝撃を受けていた。『智恵子抄』。恋愛詩集ではないか。関本晶子もついにそんな題材を選ぶようになったのか。なってしまったのか。

ひょっとして、好きな男の子ができたりとか、したのかな。

「うちの学校の教科書には、なかったな」

優は答えた。もっとも、優のクラスの現代国語は、起立、礼、着席、の号令が済んだ途端、クラスの半数以上が机に崩れ落ちて舟を漕《こ》ぎはじめる。詩を学ぼうが小説を学ぼうが、大差はない。

「国語の教師《せんせい》が、やたらと気合いを入れて授業をしていた。『智恵子抄』は、自分も十代の若いころに出会って感動したとか何だとか。で、藤村さんの意見を聞きたいと思ってさ」

ソファの上、関本晶子から三十センチほど離れた位置に、ランさんが香箱を作っている。

「いつもこの距離を保つよね」

関本晶子は悲しげに言っている。

「撫でさせてくれはするけど、いつも離れて座る。ここのおうちで顔を合わせてから、何年も経《た》っているのに」

「撫でさせてくれるだけいいよ。こうして近くにいて落ち着いているんだから、気に入られてはいる」

優は慰める。年に一度はこの家にやって来る優の父親など、ランさんの姿をまともに見たことさえないはずだ。そのくせ帰りぎわには全身いたるところに猫毛がついている。はたいてもはたいても取れない、いやがらせか、と悲鳴を上げている。父親が去ったあとでどこからともなく現れるランさんを見て登季子さんは笑う。

ランさんは、あのひとが気に入らないからね。もちろんいやがらせだよねえ。

「藤村さんは読んだことある、『智恵子抄』？」

「一階にあったから、二年くらい前に読んだ」

「さすがは藤村さん。どうだった？」

恋愛も結婚も、優には遠い話だったけれど、パパとママのことを考えはした。

ふたりだって、お互いに好きだ、と想い合ったときがあった。結婚したい、一生一緒にいたい。そう信じた瞬間があったはずなんだ。そのあとで、変わった。

「巻末に『智恵子の半生』という光太郎の随筆が載っていたでしょう。あれがおもしろかった」

関本晶子は文庫本の頁をめくった。「あるね」

「高村光太郎《たかむらこうたろう》と智恵子さんの出会いが具体的に書いてある」

「あるある。『着こなしのうまさと、きやしやな姿の好ましさなどしか最初は眼につかなかつた』」

「まずは外見からだった。高村光太郎は詩人で彫刻家でしょう。相手の外見は大事だっただろうなあ」

「智恵子さんは、きものの着方がよくて、華奢《きゃしゃ》で『好まし』かった。要するに好みだった。服の趣味は大事よね。あまりに合わないとだいぶ気持ちが引く」

「関本さんはそう？」

　優は探りを入れてみる。

「うちの学校は制服だけど、遠足のときは私服でね。このあいだも鎌倉《かまくら》へ行ったとき、昭和みたいな花柄ワンピースを着てきた子がいて、あれは引いたな」

　関本晶子は眉をしかめた。

「遠足だよ。けっこう歩くのよ。なのにひらひらしたスカートでおかしなヒール付きのブーツまではいていた。理数がすごくできる子なんだけど、あの場違い乙女な服装はないわ」

　関本晶子なら似合いそうだ、と優は思ったが、口には出さずにおく。

「智恵子さんの方も、好感触。『私の作品を見て、お茶をのんだり、フランス絵画の話をきいたりして帰つてゆく』」

　好きになった男の子がそうだった、ということではない。同級生の話か。ひとまずよかった。

「光太郎が新築のアトリエに移り住んだ際は、『お祝にグロキシニヤの大鉢を持つて』訪問する。積極的だね」

「うん、積極的。光太郎に対し、明らかに好意を抱いている智恵子さん」

「で、最初の一手を打つ智恵子さん。それが『人に』って詩」

関本晶子は目次を見、頁を繰った。

「これか。『いやなんです』『あなたのいつてしまふのが』『おまけにお嫁にゆくなんて』『よその男のこころのままになるなんて』」

「智恵子さんは、自分に縁談があることを、光太郎に伝えたんだね」

「駆け引きだ」

関本晶子は眼を光らせた。「あなた以外の男から好きだって告白されたんだけど、どう思う？　作戦」

優はもちろん、関本晶子も、現実の恋愛についてはこれまで興味が薄かった。しかし現象としてはそれなりの知識を積み考察も重ねている。読書会のおかげも少なからずあるかもしれない。

「お茶を飲んで話をしながら、実は智恵子さんは苛立っていたのかもね。ルノアールもモネもグロキシニアもどうでもよかった。それよりあたしのことをどう思っているんだよ。はっきりしろ」

「駆け引きの効果はてきめん。光太郎は動揺しまくって詩を書いてしまった」

「でも、智恵さんとしては、まだまだ楽観できる状況ではなかった。『それでも恋とはちがひます』『サンタマリア』『ちがひます』『ちがひます』」

「マリアさまに誓っちゃっている。腰が引けているねえ」

「『おそれ』って詩もある。『あなたは其のさきを私に話してはいけない』『あなたの今言はうとしてゐる事は世の中の最大危険の一つだ』」

「この男、怯えている」

関本晶子は薄く笑った。

「本気で好きになるって、怖いことだもんねえ」

「関本さんもそう？」

優はおそるおそる訊ねる。もしかしたら、本当に、関本晶子はそんな相手ができちゃったのだろうか。

「怖いよ」

関本晶子はあっさり頷いた。

「怖いから、めったに好きになんかならない。藤村さんだって、同じじゃないの？」

投げたボールが投げ返されて、優はきょとんとした。

「わたし？」

「いつだったか、小学生のときの話をしていたじゃない」

吉川結良ちゃんのことだ。友だちになれたと思ったら、違っていた。そうだ。あの経験は優にとって決して小さいものではなかった。

自分の境遇や、好きなものを、率直に語れなくなったのは、あのときからなんだ。

「相手がいくら好意を示してくれたって、そのまんま信じられるものじゃないもの。自分の気持ち自体、すぐ変わるものね」

関本晶子は優の眼を見返しながら続ける。

「花柄ワンピースの子、わりに親しくしていたけど、あれ以来ちょっとよそよそしくなっている自分がいる。勝手なものだよね。私の服装だって、向こうからしたら厭だなと感じたかもしれないのに」

「関本さんはどんな服装をしていたの」

「ニットとジーンズ」

今日とほぼ同じだ。

「おかしくないよ」

「藤村さんはそう思ってくれる。でも、彼女は違うかもしれない」

「花柄ワンピースを選ぶひとだものね。確かに」

好ましい、と感じる、自分の感情も相手の感情も、どこまで信じられるのか。真面目に考えたら、警戒心が強くなるのも当然なのだろう。なるほど。

以前『智恵子抄』でこの詩を読んだとき、優はそんな風には考えなかった。恋とはちがひますか。そうですか。でもけっきょくは恋だったんだろう。往生際が悪いよ光太郎さん、と軽く読み流していた。

「でも、そう言いながらも、結婚前の光太郎と智恵子さん、かなり踏み込んだ関係になっていたみたいよ」

そんな部分にしか視点が行かなかった。

「『私は犬吠《いぬぼう》へ写生に出かけた。その時別の宿に彼女が妹さんと一人の親友と一緒に来てゐて又会つた』。偶然じゃないよね」

「偶然なわけがない」

関本晶子は唇を尖らせた。

「しらじらしい男だ。『来てゐ』たのか、追って来たのか。光太郎が呼んだか、智恵子さんが追ったか、はたまた双方、示し合わせたか、でしょう」

「まあ、二人きりってわけじゃない。智恵子さんは『妹さんと一人の親友と一緒』

だけどね」

「見え透いたアリバイを作りやがって」関本晶子は舌打ちせんばかりだった。「同性の友だちや姉妹を巻き込んで行動するのは、典型的な誤魔化し手段のひとつです」

「女の子同士、そういうことはいろいろやっているみたいね」

　優は谷川華や望月胡桃の会話を思い出す。

「関本さんはどう？」

「やらない」関本晶子の返事は簡潔だった。「友だちはいないし姉妹もいない。藤村さんだって同じでしょう？」

　また投げ返された。

「やらないね」

「でも智恵子さんには共犯者がいた」

「共犯者」

　優には、ちょっとうらやましい気もする。

「共犯者の助力によって『後に彼女は私の宿へ来て滞在し、一緒に散歩したり食事したり写生したりした』。『様子が変に見えたものか、宿の女中が一人必ず私達二人の散歩を監視するためついて来た』」

「どんな様子よ」関本晶子はへの字口になる。「宿のひと、単にのぞき魔なんじゃないの？」

「『心中しかねないと見たらしい』」

「光太郎と智恵子さん、散歩して食事して写生をしていただけなんでしょう。どれも平和な行動じゃない」

関本晶子が首をひねる。

「どこをどう間違えば心中に結びつくんだろう？」

「ここ、いつの間にか『妹さんと一人の親友』がいなくなっているあたりが肝要《きも》だよね」

「親友も妹も共犯者だもの。だからアリバイ工作なんだって。わたしたち、グループ交際です。二人きりの旅じゃないです。という外見は、ただの偽装工作に過ぎなかったことを、図らずもここで露呈してしまっている」

関本晶子は刑事ドラマのような口吻《こうふん》になっている。

「『智恵子が後日語る所によると、その時若《も》し私が何か無理な事でも言ひ出すやうな事があつたら、彼女は即座に入水して死ぬつもりだつたといふ事であつた』」

「あやしいもんだ。本当に『無理な事』を言われて困るなら、どうして同じ宿に移って来たりなどしたのか」

「照れ隠しもあるかもね」

「この場に及んでまで、光太郎が『サンタマリア。ちがひます』なんて言っていたら、それこそ入水させたくなるよね」

関本晶子はいまいましげにつけ加えた。「光太郎を」

「あやしいのは、光太郎の側もなんだよね。『私は入浴の時、隣の風呂場に居る彼女を偶然に目にして』」

「また偶然か。偶然なものか」

関本晶子は眼尻を吊り上げた。

「ぜったい狙って見ている」

「『何だか運命のつながりが二人の間にあるのではないかといふ予感をふと感じた。彼女は実によく均整がとれてゐた』」

「いやらしい。ばっちり見ているじゃないの。要するに決め手は智恵さんのスタイルのよさだったわけ？」

「いかにも彫刻家らしいとは言える」

「言えないよ」

関本晶子は吐き棄てた。

「男っていやらしいね。ぞっとする」

この様子では、関本晶子に好きな男の子ができたわけではなさそうだな。優は安心した。

「いやらしいといえば、朝の電車は大丈夫?」

一年ほど前、関本晶子は通学時の痴漢被害に悩まされていたのである。

「藤村さんが警護してくれて以来、ばったりなくなったよ。本当にありがとう」

相談をされ、優は関本晶子の通学電車につき合うことにした。優自身、一時間は遅刻をすることになったが、仕方がない。それに、一時間目はだいたい優が好きではない苦手な教科だった。

月曜から木曜まで、四日間。すし詰めの電車内で、関本晶子に貼りつくようにしていた。痴漢《ちかん》野郎が破廉恥《はれんち》な真似をしでかしたら指をへし折ってやろうと意気込んでいたのだ。水曜日まではなにごともなかった。木曜の朝に、関本晶子が目配せをしてきた。

関本晶子の腰に下半身をすりつけ、スカートをまくり上げていた男の手首を、優はがっしりと摑《つか》んだ。

　痴漢です、と大声で言った。

「ちょうど電車が停《と》まったのが悪かった」

　降りる客の流れを利用して、痴漢は優の手をもの凄い力で振りほどいて逃げ去った。

「警察へ突き出してやりたかった。その方が安全だったのに」

「だけど、あれきり狙われなくなったもの。ああいう変態は、動物以下のくせに、自衛本能だけは強くできているんじゃないのかな」

　学校を連続遅刻したことは、登季子さんにも事後報告をしておいた。優は強い。本当の本当に、強くなったんだね。褒められたあとで注意もされた。逆恨みした痴漢に怪我《けが》でもさせられたら大ごとだ。逃げられてかえってよかったかもね。気持ちはわかるけど、気をつけてよ。

「とにかくまあ、光太郎と智恵子さん、二人の恋愛は成就したんだね。『郊外の人に』って詩。『わがこころはいま大風の如《ごと》く君にむかへり』『愛人よ』。智恵子さんは晴れて『愛人』になった」

「よかったね」

関本晶子は、まったく熱のない口調で言った。

「『そして二日でも、三日でも』『笑ひ、戯れ、飛びはね、又抱き』。二日でも三日でも疲れを知らず元気にいちゃいちゃ」

「脳内麻薬が全開なんだろうね」

「『をんなは多淫』『われも多淫』」

「そんなことまで、詩にしているんだ」

関本晶子はあきれたようだった。

「『飽かずわれらは』『愛欲《あいよく》に光る』『淫をふかめて往くところを知らず』」

「光太郎は、さぞかし太陽が黄色く見えたことだろうね」

「そして二人は正式に結婚をする。『智恵子との結婚を許してもらふやうに両親に申出た。両親も許してくれた』」

「物語ならハッピー・エンドだよね。でも、そうはならなかったのが、『智恵子抄』なんでしょう?」

「そう」

優はまたしてもパパとママの関係を思う。

「といって、気持ちが冷めるわけでもなさそうなんだけどね。結婚してだいぶ経っても『時時内心おどろくほど』『あなたはだんだんきれいになる』なんて詩も作っている」

「普通はだんだんきたなくなりそう。智恵子さん、精神を病んでしまうんだよね。どうして病気になっちゃったのかな」

「わからないけど、男の子とつき合うと、変わっちゃう子っているみたいじゃない」

　優は考え考え、言う。

「智恵子さん、『一切を私への愛にかけて学校時代の友達とも追々遠ざかつてしまつた』みたい」

「共犯者まで切ったの。駄目だよ」

　関本晶子がいたましげに呟く。

「やっぱり恋愛なんてあんまりいいものだと思えない。うちの国語の先生はどこに感動したんだろう」

「きれいな詩だとは思う。『そんなにもあなたはレモンを待つてゐた』『かなしく白くあかるい死の床で』」

「『レモン哀歌』。言葉はうつくしいよね」

「『あなたは僕に生きる』『それがすべてあなた自身を生かす事だ』」

「駄目だ」関本晶子は渋面になった。「私、無理、この男」

「『智恵子は現身《うつしみ》のわたしを見ず』『わたしのうしろのわたしに焦がれる』。『現身』を見なかったのは、狂気した智恵子さんだけではなかったのかも」

優は思った。「だんだんきれいになる」智恵子さんは、果たして現実の存在だったんだろうか？

「男ができたらそいつひと筋に生きるとか、共犯者と切れるとか、私は厭だな」

関本晶子は身震いをした。

「誰かに気に入られて、受け入れられるために、自分を明け渡さなきゃならないのが恋愛なら、したくない。恋愛だけじゃない。家族だって、友だちだってそうだよね。だから私は友だちがいない。いなくていい」

藤村さんも同じでしょう？

言われる前に、優は口を開いていた。

「そうだね。同じ」

「登季子さんの絵本のかいぶつでいいよ、私は」

関本晶子の言葉に、優はどきりとした。

「え？」

「ここの一階で読ませてもらったよ。登季子さんが描いた絵本。かいぶつのお話、好きだったな」

「かいぶつのお話？」

心臓が高鳴っている。

「登季子さんが描く絵本って、怖いお話が多いけど、そのお話で救われる子だってたくさんいると思う」

関本晶子は優の眼を見ている。

「家族とか親子とかって、うまく行っているのが当たり前、みたいじゃない。でも、実際は違うもの。どっちがいいとか悪いとかじゃなくて、そうなっちゃうんだもの」

「わたしは家族が一緒にいないから、わからないけど、そういうものかもね」

「家族はいるじゃない」

関本晶子がランさんの背中を撫でた。

「ランさんと、登季子さん。家族でしょう？」

冗談ではない。真面目に言っていた。

「藤村さんの大阪の大会、行きたかった。登季子さんは、去年もおとどしも、ママに話をしてくれたんだよ」

「そうなの？」

初耳だった。

「日帰りだし、自分がついているから大丈夫だって請け合ってくれた。でも、うちの娘のことでご迷惑はおかけしたくない、って一点張り。うちのママはいつだってそう。おにいちゃんは大事だけど、私にはなにひとつしたくない。痴漢に遭ったときだって、ママには伝えた。でも、晶子の学校は制服が可愛いから狙われても仕方がない、晶子に隙があるからいけないんだ。そう言われて終わりだった」

優にはかける言葉がなかった。

「藤村さんだけが助けてくれた」

言うと、関本晶子は少し赤くなった。

「私と藤村さんは、共犯者になれるよね？」

優が返事をする前に、関本晶子は続けた。

「私と藤村さんは、友だちっていっていいよね？」

「友だちだって」

関本晶子が帰っていったあと、優はソファの上のランさんに言っていた。

「今さら言う？」

中学一年生のときに出会ってから、五年以上。わたしはずっと友だちだと思っていたのに、違ったわけ？　これまでの関係はいったい何だったのだ？

友情の片想いだったということか。優はひとり、思い出し笑いをした。

「でも、きっと、これでいいんだよね」

荒川舞が言っていたみたいに、優も、友だちを作るのがうまくない。

登季子さんはよく、関本晶子と優は似たもの同士だと言っている。二人とも、他人との距離の取り方が独特だと。

そんな人間もいて、そんな出会いもあって、そんな友情もあったということだ。

家族も？

そうだ、家族も。

両親と一緒に暮らしている関本晶子も、両親と離れて暮らしている優も、うまく行っていない。優の家族は、伯母である登季子さんと、猫のランさん。当たりまえじゃない。似たもの同士だった。

いつもこの距離を保つよね。

ランさんのことをそう言っていたけれど、関本晶子だって同じだ。


かいぶつでいいよ、私は。


関本晶子の、あの言葉。

かいぶつの絵本。

登季子さんの絵本はぜんぶ読んだと思ったのに、読んでいない。

いいや、違う。小さいころに読んだはずだ。遠い記憶はある。しかし、読みかえした覚えがない。

どんなお話だったっけ？

なぜ、わたしは、読み返していないんだろう？

三

日陰の植え込みで、沈丁花《じんちょうげ》が枯れかけていた。

U駅裏のコーヒーショップで、優はママと会っていた。

「好きな男の子はできた？」

ママが訊く。いつもの苦手な質問。

「いない」

現在はそれどころじゃない。

「登季子さん、手術は無事に済んだんだ」

カフェオレを啜りながら、優はママに言った。

「あさって退院の予定」

「ふうん」

ママはブレンドコーヒーのホットを飲んでいた。店は違っても、注文するのはいつも同じだ。

「肺癌《がん》って言ったって、ステージIとかでしょう。大したことはないわよね」

「ないといいけど」

「転移が見つかったら最期だけどね」

ママはあっけらかんと言い放つ。

「手術は無事に済んだよ」

優はむっつりと言う。

「今のところはね。どうなっちゃうか、スグルくんにはわからないでしょう」

ママはうっすらと笑っている。

「トキコさん、死んじゃうかもよ？」

優はママの顔をまじまじと見返していた。

笑っている。笑いながら、ひどいことを言っている。

「まだ五十いくつだっけ。ぱっとしない仕事をして、独身のままで子どももいなくて。このまま死んだんじゃ、死んでも死にきれないでしょうね。可哀想に」

登季子さんが死ぬ？

優の耳もとで、じんじんと血が流れる音がする。

「あさって退院する」

優は荒ぶりかける感情を抑えながら、言う。

「そういう言い方は、登季子さんに失礼だよ」

言い返さないでおこう。思っていたのに、言ってしまっていた。

「え？」

ママが、ぽかんとしている。

「失礼って、本当のことじゃない。私、あのひとみたいな人生だけは、送りたくないもの」

「送れないよ」

優は言っていた。

「ママには、登季子さんの人生なんか、送れない」

「そうよ。あんな人生はごめんだもの」

おかしくてたまらない風に、ママは声を上げて笑い出した。

「ママは、登季子さんができなかったことはぜんぶやり遂げたもの。お金のために妥協もしなかった。いっぱい恋をして、スグルくんを産んだ」

そうですか。

瞬間、怒りで熱くなった気持ちが、すっと冷えた。

ママが、登季子さんを見下してかかっているのは、知っていた。そうやって勝ち誇るのが、ママの満足なのだろう。

「スグルくんは、登季子さんの味方なの？」

氷のように冷たく、凍りついていく気持ち。

「世話になってきたからって、庇《かば》うのはわかるわよ。でもね、ものごとは冷静に見なくちゃいけない。トキコさんは変人で、まともな幸福を味わえなかった人間よ。結婚もできず、子どもも産まず、猫と暮らして。ちょっとくらいの才能はあったけど、それがなに？　世間のひとはみな、あの人の存在なんか知らない。知られないまま、あのひとは埋もれていくの。それが現実」

黙ってほしい。

「人間ってね、ことに女なら、やはりちゃんと家庭を持って、子どもを産まないと、一人前とはいえないものよ。あのひとはそれができなかった人間なの」

黙って。

「ママは、あんな人生はごめん。恥ずかしい」

黙れ。

「ええ？」

ママが、あっけに取られたように、優を見ている。

「もう、黙って」

声に出てしまっていたのだ。

「わたしは、登季子さんの生き方が、恥ずかしいとは思わない」

言いはじめてしまったからには、冷静に言おう。

「そういう風に決めつける、ママの方が恥ずかしい」

感情的にならないで、冷静に言えば、ママだってわかってくれる。わかってほしい。

「わたしも、登季子さんのように、自分ができる人生を、自分の意志で選びたい」

言葉にしてみて、自分でも驚いた。

そうだ、わたしは、そう考えていたんだ。

「登季子さんのように？　やめてよ」

ママはきれいに描かれた眉を寄せた。

「スグルくんは、なにをしたいっていうの？」

わからない。

けど、ママが考えているような「まともな幸福」は求めていない。たぶん。いや、ぜったいに。

「おすもうなんて、一生はできないのよ。スグルくんは女の子よ？」

「わかっている」

いや、本当はわからない。

確かに、プロの道は、女には開けていない。しかし、大相撲の力士ばかりが最終目標ではない。岡田先生みたいに、すもうに関わり続けて生きているひとだっている。

「女の子が、おすもうに強くなって、どうだっていうの？」

女がすもうをとって、強くなることを目指して、なにが悪いんだろう？

「けっきょく、スグルくんは、まだ子どもなのね」

ママは、しょうがないわね、と嘆息した。

「まだまだ、子どもなんだわ。わかっていない」

気がついた。そんな言い方、登季子さんはぜったいにしない。

登季子さんは、子どもだから、って、決めつけない。否定しない。だから優も、変わりものの登季子さんを否定しない。

「わからなくても仕方がないけどね」

ママは楽しげだった。

「子どもは作ってね、スグルくん。せっかく女に生まれたんだもの」

はい？

優は耳を疑った。

なにを言いだすのだ、このひとは？

「正直をいうと、ママもね、スグルくんがおなかにできちゃったときは、まずいって思ったんだ。おろそうって思っていた」

いかにもおもしろいことみたいに、ママは話していた。

「でも、今になってみたら、産んでよかった。だから、スグルくんも、子どもは産んだ方がいい」

いつものことだ。優の気持ちなど、ママにはどうでもいいのだ。わかってはいる。しかし、今日はとりわけ深々と突き刺さる。

「子どもができても、ママ、おばあちゃん、なんて呼ばせないんだ」

スグルのことも、登季子さんのことも、少しも頭にない。ママに考えられるのは、自分のことだけだ。

「結婚なんかしなくてもいいの。許してあげる。若いおばあちゃんになるのが、ママの夢なの。スグルくんの子ども、楽しみだなあ。はやく作ってね」

ママにあるのは、自分の願望だけ。自分の幸福だけ。

「楽しみ？」

優は、言った。

「そして、都合のいいときだけ可愛がって、棄てるの？」


言った。

言っちまった。

ママは固まっている。

沈黙。


「スグルくん、ママを恨んでいるの？」

やがて、ママの鼻が真っ赤になって、黒い瞳が潤んだ。

「ひどい」

涙がぼろぼろ流れ出した。

「スグルくん、ひどい。傷ついた」

ごめんなさい。

謝った方がいいのはわかっている。
けど、優の舌は凍りついたように動かない。
わたしは間違ったことを言っただろうか？
傷ついた？
なら、わたしも同じだ。
おなかにできたときは、やばいって思った。おろそうって思った。
そんなことを言われて、傷を受けない人間がいるのだろうか？
なぜ、自分ばかりが傷つくの？
「ひどい。ママは、こんなにスグルくんのことばかり思っているのに」
ママは泣き続けた。
スグルは、謝らなかった。
泣き続けるママを置いて、席を立ち、店を出た。ママも、呼び止めなかった。
沈丁花の香りが追ってきた。

しばらく、いいや、二度と、ママからの連絡は来ないかもしれない。

胸が痛んだ。

でも、優は、立ち止まらなかった。

間違ったことをしただろうか？

した、かも、しれない。

ママに許してもらえないかもしれない。

つらい。

正直言って、つらい。

だけど優は、立ち止まれなかった。

後悔？

すでに、している。

けれど、もう一度、同じ時間を、繰りかえすことができたとしても、優は、同じことをする。

それだけは、言いきれる。

＊　＊　＊

商店街に戻ってきた優は、立ちすくんでいた。
『ジュピター』のシャッターが降りている。
こんなことは、これまで、なかった。

四

家に帰って、優は一階の本棚の前に立つ。
『もりのかいぶつ』は、すぐに見つかった。
並べてあるのに、手に取らなかったのは、なぜだったろう。

このもりにすんでいるのはね。
おまえがかいぶつだから、だよ。

登季子さんは、かいぶつの姿を、真っ黒な影のように描いていた。

へやはいつもまっくらです。
おかあさんは、あかりをつけませんでした。
あかりをつけたら、みんなに見つかってしまう。

おかあさんはいいました。

それに、おまえが、じぶんのみにくいすがたをみてしまうからね。


うすぐらいなかでも、おかあさんはみえました。

かいぶつも、じぶんの手足はみえました。

おかあさんより小さく、まるっこい手と足。


頁を繰ろうとした優の指が止まる。心音が高まる。

これ以上は読めない。読んではいけない。

今までずっと、見ないようにしてきた。自分にとってつらい物語であることを覚えていたから、読まなかったのだ。ずうっと。


おかあさんは、にんげん。

でも、かいぶつは、かいぶつだった。

そとへでたらいけない。

おまえはかいぶつなんだ。

読みたくない。
読むのが苦しい。
優は、絵本を閉じた。
読めなかった。
かいぶつは、どうなるんだろう？
どんなお話で、どんな結末なんだろう。
知りたい。
知りたくない。
同じくらいの、気持ち。
優は、絵本を手に、じっとしていた。動けなかった。
けっきょく、スグルくんは、まだ子どもなのね。
ママの言葉が耳に蘇る。
まだまだ、子どもなんだわ。
ママの言うとおり、優は幼い日のままだ。
かなしい、つらい、ラストは読まない。その前に、本を閉じてしまう。

しあわせだった、そこまでのお話だけを信じて、眼を閉じる。

足もとに、ランさんが来ている。

優を見上げて、声を出さずに、啼いた。

促すように、啼いた。

最終章

かいぶつは、とびらをあけた

もりにすんでいるのはね。
おまえがかいぶつだから、だよ。

一

春。

優は、二十歳になっている。

大学二年生だ。志望していたT県の大学ではなく、東京都下のH大学の国文科へ通っている。

女子相撲部はない。相撲部さえない。なので、ひとりですもう同好会を立ち上げた。他大学の女子すもうのサークルと連絡を取り合って合同練習をしている。

「もったいない気はするけどね」

登季子さんは、まだ残念がっている。

「公式の大会には出られないんだろう。優ならまた優勝できるのに」

高校三年生の秋の全国大会、軽量級の部で優は優勝していたのである。

「でも、けっこうあちこちで稽古場を使わせてくれる。すもうは続けていけているよ」

週に二回、母校へ帰って後輩と稽古をし、岡田先生の教室にも通っている。今年は、高校の一年後輩である守矢風香《もりやふうか》が、別大学ながら同好会に加わってくれた。杉浦沙知と同じ大学へ行って、いつかは杉浦沙知に勝ちたい。未練がないと言えば嘘になるが、優には現在の生活がなにより大事だった。

二年前、高校三年生の夏、『ジュピター』は閉店した。春のあの日、降りたシャッターは、ふたたび開くことはなかった。

同じ夏、ランさんが体調を崩した。

それまでも、ときどきは動物病院へかかることもあったが、今では毎週通っている。薬も毎日欠かせない。甲状腺機能亢進症《こうしんしょう》。腎臓の機能も弱っている。ランさんは優と同じ年齢なのだ。猫としてはかなり高齢なのである。

ランさんは痩せ、一階へはめったに降りてこなくなった。

一日じゅう、ほとんど、リビングルームのソファの上で、ごつごつした躰をまるくして寝ている。

「おはよう、ランさん」

優は、毎日、ランさんに挨拶をする。

「行ってきます」

「ランさん、ただいま」

挨拶ができる。温かい毛並みに手を触れる。いつものことがたまらなく嬉しい。

当たり前だった日々はずっとは続かない。それほど遠くない日に、失う。優は、そのことに気がついてしまった。

この家を離れ、T県の大学へ行く気がなくなった理由は、それだけだった。

＊　＊　＊

もっとも二年前、登季子さんが退院したばかりの時点で、パパからは反対されていたのだ。

「この家を出て、T県の大学へ行く？」

パパは、眼を剝いた。

「出せるのは学費までだ。よけいな金はいっさい出さない」

パパならそう拒むだろう。優としても予想はしていた。

「貯金があります。アルバイトもできる」

優は言った。ママからもらっている小遣いはずっと貯《た》めてあるし、杉浦沙知もアルバイトをしていると聞いていたので、メールで相談はしていた。

「あんたが出さないなら、私が出すよ。それで問題はないでしょう」

登季子さんが言葉を挟んだ。

「決めるのは俺だ」

パパは声を荒らげた。

「親は俺だ。ずうずうしく口を出すな」

「口を出す権利くらいはあると思うけどね」

「父親として金はずっと出してきた。偉そうにされる覚えはない。金を出さない父親だっているんだ」

「最低と較《くら》べて自分を擁護するとは驚いた」

登季子さんとパパは口論になった。優のことがきっかけで、たまりにたまったお互いへの鬱積が炸裂《さくれつ》した、という感じだった。

「この家に住んでいられるのは、俺が権利を譲ってやったからだ。親父《おやじ》は俺に相続させるつもりだった」

「家は要らないから勝手に処分しろって言ったのはあんたでしょう」

「長男は俺だ。昔ならおまえには何の権利もない」

「何世紀の民法の話をしているわけ？」

「母さんだっておまえを当てになんかしていなかった」

「確かに生命保険金の受取人はあんただったね。でも、病院へ通って最期を看取ったのは私だった」

「俺だって病院へ行った」

「入院中、一回来たっけ。二回かな」

「仕事があった」

「私にも仕事はある。可愛がられていながら、いつだってあんたは困りごとや面倒ごとは私に押しつける。父さんも母さんも甘々だったから、言いわけさえしないで居直ればよかったもの。お気楽な人生だよ」

パパは登季子さんの肩を摑んだ。

殴られる。

優の躰は敏捷《びんしょう》に動いていた。立ち合いから一気に押し込む。出足のはやさは優のすもうの持ち味である。

その瞬間。

優は、思い出したのだ。

なぜ、自分は強くなりたいと思うようになったのか。


ママが怒鳴っている。パパが、ママの頬をぶつ。

ママが背中をまるめてうずくまる。

パパがママの背中を蹴る。

泣き声。

ああ、スグルくんの泣き声だ。


優は腕を伸ばし、親指とひと差し指のあいだを咽喉に当て、パパの背中を壁に押しつけていた。

「ぐうううう」

パパが、優の右腕の先でうめいている。登季子さんが、眼をまんまるくして優を見ている。

やっちまった。

登季子さんは、そんな顔だ。優も、我ながら驚く。

やっちまったよ。パパに咽喉輪を決めちまった。

「親に向かって、暴力をふるうのか」

押しつぶされた、パパのかすれ声。

なにも考えていなかった。勝手に言葉が口から飛び出した。

「暴力をふるったのはあんたの方だ。二度とするな」

これ、わたしの声か？

わたしが言っている？　本当に？

「二度と、暴力や脅しで、他人を従わせようとするな」

言っている、みたい。

「おまえなど、娘とは思わない」

パパは、言った。

かいいい、

「おまえは、かいぶつ、だ」

＊　＊　＊

結果。

優のH大学の学費は、登季子さんが払ってくれている。

「T県でもよかったんだよ、本当に」

登季子さんは、またもや蒸し返す。

「優と暮らしたおかげで、私はお金を稼げているんだもの」

登季子さんによると、優と暮らすようになってから描いた絵本は、みんな優をモデルにしていたのだという。

「小さい子が見ている世界。小さい子が欲しがっているもの。大人になると、忘れちゃうんだよ。優がみんな思い出させてくれた。子どもっておもしろい。ことに優はおもしろかった」

優はくすぐったくなる。

「変わりものだから」

「そうそう」登季子さんは笑い出した。「わたしと同じ」

親には、好かれないけど。

口には出さなかった。が、登季子さんには伝わった。

「それも同じ」

登季子さんは、わかっていた。

「親にとって、子どもは『かいぶつ』なんだよ。どんな子どもでもね」

優は頷く。

「絵本の感想を言ってくれたことがあるじゃない。怖くて結末は読まないようにした、って。モデルにして、さらに怖い物語でひどい目に遭わせて申しわけなかった。心から思っています」

「そしてまたモデルにして、ひどい目に遭わせる」

わはははは、と登季子さんは笑った。

「そうだよ。それでごはんが食べられる。あきらめてくださいな」

登季子さんの病気は再発していた。

手術はない。じっくりと病気につき合って行くしかないみたいだ、と登季子さんは言っている。

やはり家を出ないで通える大学を選んで正解だった、と優は思う。

「ぼくはなにもわるいことはしていないよ」

「でも、おまえは、かいぶつじゃないか」

二

そのころ。

スグルくんは、たくさんの声に囲まれて生きていた。

多くの誰かと話ができた。

たとえば、えほん。本を開くと、世界が見える。大好きなおはなしが、はじまる。


かいぶつであることが、いけないことだとも、しりませんでした。

かまどや、らんぷ。いすや、テーブルや、ベッド、はしらどけいと、なにがちがうのだろう？

かいぶつは、みんなと、なにがちがうのだろう？

絵本には、絵がある。
絵があるから、スグルくんにも、わかる。でも、わからないところもある。
絵本には、字が書いてある。スグルくんには、その「文字」は、読めなかった。
ママの声が、文字を読んでくれた。「物語」を、語ってくれた。

「かいぶつ、かいぶつ、おまえはかいぶつだ」
「でも、わたしは、おまえをまもってあげるからね」
「まもってあげる」
「そとへでようとしたらいけませんよ」
「おまえはかいぶつ」
「そとへでたら」
「ころされる」
「ころされる」
「おまえのみかたは、わたしだけ」
「わたしだけ」

ママは、いつだって楽しくなさそうだった。

いつだって、とはいえない。そばにほかのひとがいれば、笑っている。でも、ママは楽しくない。

スグルくんは、そのことに気がついていた。

だって、笑って話をして、スグルくんと二人きりになると、ママは深いため息をつくのだ。

「いやだ、いやだ。私はこんなところでこんなことをしていたくなんかない」

そして、スグルくんの顔を見て、言う。

「あんたができなければ」

何度も何度も、繰りかえす。

「あんたさえ、おなかにできなければ、私はここにいなくて済んだのに」

絵本の結末を読まないように、忘れるようにしていたことを、ぜんぶ、現在の優は思い出していた。

＊　＊　＊

二年前、あんな風に泣かせてしまったあとでも、ママは優に連絡をくれた。

「家族は許し合わなくちゃいけないもの」

スグルくんは反抗期だものね。許してあげるわ、とママは言った。

「なにがあっても、許し合って、一緒にいるのが、家族だものね」

反抗期。優の心底からの訴えは、そのひと言で流された。会うたび、好きな男の子はできたかどうか、ママは訊く。今は無理だけれど、いずれは一緒に暮らしたいと言う。別れぎわにはお小遣いをくれる。

ママには、言わない。

ママと優は、親子だけれど、優の家族はママではない。

優の家族は、登季子さんとランさんだ。

今までも、これからも、一緒に暮らしたいのは、登季子さんとランさんしかいない。

ママには、まだ言わない。

＊　＊　＊

ひがくれたまどに、すがたがうつった。

よわよわしいこども。かがみとおなじすがた。

「わたしだって、かがみとおなじことができる」

まどがらすが、ほこらしげにいいました。

「おまえのすがたをうつしてあげる」


二年前の秋、優の出た相撲の全国大会に、関本晶子は応援に来てくれた。

「親には内緒で来た」

関本晶子は、ひそひそ声で優に打ち明けた。

「最初からそうすればよかった。交通費くらい貯金から出せるもの」

しかし、大事な優の応援団だからね、と言って、関本晶子のぶんの交通費は登季子さんが負担した。たこ焼きもお好み焼きも肉まんも、登季子さんがおごった。

「登季子さんに悪いみたい」

関本晶子は恐縮していた。

「親に言っていないこと、登季子さんには話していないんだ」

話さなくてもわかっているんじゃないかな。優は思っていた。登季子さんは、そういう事情を察知しないひとではない。きっと、だから交通費も出したのだ。

でも、優は、ただ笑っておいた。

「登季子さんに言わなくていいよ。関本さん、わたしは共犯だ」

「うん、共犯だね」

関本晶子もにやりと笑った。


かいぶつは、ふりむいた。

「おまえは、ここにいなさい」

かいぶつはおおきなこえをあげた。

「ぼくは、そとへいく」

おかあさんは、こわいかおをした。

「ころされるよ」

「ころされてもいい。そとへいく」

関本晶子はX大学農学部の獣医学科へ進学していた。

「獣医になって、ランさんを長生きさせる」

ランさんがすでにもう長生きをしていることは、関本晶子だってわかってはいるのだ。しかし、そう言っている。

「猫の平均寿命はもっと延びる。研究者も多いし、可能性はある」

関本晶子が遊びに来ているせいか、ランさんはひさしぶりに三階に上がってきて、優のベッドでまるくなって寝ていた。

「間に合うかな」

間に合って欲しい。

「童話の継母って、もともとは実母だったのを、そう書き換えられていることが多いんだってね」

関本晶子は、思い出したように言った。

「『ヘンゼルとグレーテル』もかな。お菓子の家の魔女って、ヘンゼルとグレーテルを追い出した母親と同一人物だったのかもね」

遠い昔を、優も思い出す。

＊　＊　＊

ある日、ママは、不意に訊ねてきたのだ。

「スグルくん、欲しいものはない？」

ほしいもの？　スグルくんはきょとんとした。

「買ってあげる」

ママは真面目な顔をしていた。

「ほしいもの、何でも買ってあげる」

うれしい。でも、わけがわからない。おたんじょうびでも、クリスマスでもないのに。

「ほしいものは、ない？」

ママの声がちょっと苛立った。まずい。急いで考えなきゃ。

そうそう、ついさっきまで、『ヘンゼルとグレーテル』の絵本を開いていたんだ。

お菓子の家のページを、ずうっと見ていた。

大好きなページ。やねはケーキで、ドアはチョコレート。壁はビスケット。ちりばめられたキャンディー。おいしそうで、つばがわいた。

このいえにいきたい。

でも、行ったが最後、魔女につかまって、食べられてしまう。スグルくんはひとりっ子だった。グレーテルみたいに助け出してくれる妹はいない。

ほしいな、いもうと。

言ってみたら、ママは鼻先で笑った。

「妹は買えないもの、駄目よ」

がっかり。やっぱりそうか。そんな気はしていた。

「グレーテルみたいな、いもうとがほしかった」

「グレーテル？」

スグルくんはまだ弱い。だから強い妹が欲しい。お菓子の家から助け出してくれる強い妹。

「わけがわからない子ね」

ママはますます笑った。

「欲しいのはお菓子の家じゃないの？　妹なの？」

「うん」

ママに笑われて、スグルくんは恥ずかしかった。

「お菓子の家は欲しくないの？」

「ほしい」

「だったら、買ってあげる」

スグルくんはびっくりした。

「買えるの？」

ほんとうに？


数時間か、数日か、経ってから、ママは、スグルくんに三十センチ四方ほどの箱をくれた。

お菓子の家のキットだった。

小さいな。

スグルくんは、戸惑った。

これ、違うんじゃないの？

「お菓子の家よ。欲しかったんでしょう？」

ママは満足げだった。

「組み立ててみなさい。ね？」

ずいぶん小さな箱だけど、これが大きな家になるのかな？

考え込むスグルくんに、ママは囁きかけた。

「スグルくん、ね、欲しいものは買ってあげたよ」

うん、とスグルくんは頷いてみせるよりない。

「お礼は？」

スグルくんは、素直にありがとうを言った。

「ママはね、やれるだけのことはしたよ。わかったね？」

スグルくんはふたたび頷いた。ほかにどうしようもなかった。

「わかったね？」

ママが念を押す。

「わかったら、ママを恨まないのよ？」

うらむ？

ママはなにを言っているのだろう。スグルくんには意味がわからない。

「悪いのはママじゃないよ。わかるね？」

スグルくんはまた頷く。ママは悪くない。

「悪いのは、ママじゃなくて、パパよ。ママだってこんな風になろうとは思っていなかった」

スグルくんが、ママを恨むわけがない。

だって、ママなんだもの。

「ママは、スグルくんを、ちゃんと愛してあげたよ」

スグルくんを見据えながら、ママは続けた。

「忘れないでね。うらまないでよ」

スグルくんは、パパが帰ってくるまで、ママがいない家のなかで、じっとしていた。

お菓子の家のキットは、けっきょく開けずじまいだった。

＊　＊　＊

「以前は、親から言われる、晶子なりに生きればいいって親から突き放されたように言われるのが苦痛だった。だけど、それでいいんだなって、このごろは心底から考えられるようになった」

関本晶子はランさんの背中を撫でた。

「私は私の行きたい道を行ける。みんな、ランさんのおかげだ」

「みんな？」

わたしのおかげはないのか。ひどいな。

関本晶子はにやにやと笑っている。共犯者の笑いだ。

＊　＊　＊

「おんしらず」

おかあさんは、どなった。

「おまえは、わたしにそだててもらったんだ。それなのに、いうことをきかないのか」

かいぶつは、とびらへむかった。

「いってはいけない」

おかあさんは、こわいかおで、とびらのまえにたった。

「いったら、おかあさんは、しんでしまう」

おかあさんはまじょのかおになっていた。

「しんでしまうよ。わかっている？」

かいぶつには、わかっていた。

じぶんがどうしたいか。わかっていた。

『もりのかいぶつ』

一階の書棚にあった一冊は、部屋に持って来てある。

手に取って、終わりの頁を開いてみる。

かいぶつは、おかあさんをおしのけて、とびらをあけた。

ママは、まじょだった。

毎日、毎日、呪文をかけて、優をかいぶつにしていた。

まだ、言わない。けど、いつかは言わなければならない。

わたしは、あなたと離れて生きていく。そのことを。

そとにいこう。もりのそとに。

わたしは、かいぶつ。
まじょのむすめの、かいぶつ。
もりのそとに、生きる場所はある。
とびらをあけて、まじょのいえをでて。

わたしは、もりからでていきる。
かいぶつ。

〈了〉

本書は書き下ろしです。

本作品はフィクションです。実在の個人、団体とは一切関係ありません。（編集部）

実業之日本社文庫 か103

もりのかいぶつ

2024年6月15日　初版第1刷発行

著　者　加藤《かとう》 元《げん》

発行者　岩野裕一
発行所　株式会社実業之日本社
〒107-0062　東京都港区南青山6-6-22 emergence 2
電話 [編集]03(6809)0473 [販売]03(6809)0495
ホームページ　https://www.j-n.co.jp/
DTP　ラッシュ
印刷所　大日本印刷株式会社
製本所　大日本印刷株式会社

フォーマットデザイン　鈴木正道(Suzuki Design)

ISBN978-4-408-55888-2（第二文芸）